Barsotti, Renzo
    Las maravillas de la Tierra / Renzo Barsotti ; traducción Gabriela
García de la Torre ; ilustraciones María Mantovani, Filippo Cappeli. —
Bogotá : Panamericana Editorial, 2010.
    64 p. : il. ; 33 cm.
    Incluye índice.
    Título original : *Le meraviglie della Terra*.
    ISBN 978-958-30-3541-8
    1. Tierra 2. Ciencias de la tierra 3. Geografía física 4. Geología
I. García de la Torre, Gabriela, tr. II. Mantovani, María, il. III. Cappeli,
Filippo, il. IV. Tít.
910.02 cd 21 ed.
A1265566

    CEP-Banco de la República-Biblioteca Luis Ángel Arango

Editor
Panamericana Editorial Ltda.

Dirección editorial
Conrado Zuluaga Osorio

Edición del español
Luisa Noguera Arrieta

Diagramación y diseño de carátula
Rafael Rueda Ávila

Traducción del italiano
Gabriela García de la Torre

Título original
Le meraviglie della Terra

Ilustraciones
María Mantovani
Filippo Cappelli

Primera edición en Panamericana Editorial Ltda., noviembre de 2010
© 2010 Eleonora Barsotti
© 2010 Panamericana Editorial Ltda., de la edición en español
Calle 12 No. 34-30, Tels.: (571) 3649000
Fax: (571) 2373805
www.panamericanaeditorial.com
Bogotá D.C., Colombia

ISBN 978-958-30-3541-8

Impreso por Panamericana Formas e Impresos S.A.
Calle 65 No. 95-28, Tel.: (571) 4300355, Fax: (571) 2763008
Bogotá D.C., Colombia
Quien solo actúa como impresor.

Impreso en Colombia   *Printed in Colombia*

LAS
MARAVILLAS
DE LA TIERRA

RENZO BARSOTTI

ILUSTRACIONES
MARIA MANTOVANI Y
FILIPPO CAPPELLI

PANAMERICANA
EDITORIAL

LAS GALAXIAS

Si observamos el cielo con atención, podemos ver a simple vista una enorme cantidad de estrellas que pertenecen a un enorme sistema llamado galaxia. En las noches sin neblina nuestra galaxia, llamada Vía Láctea, aparece como una gran franja clara y lechosa gracias a la luz de miles de millones de estrellas. Si pudiéramos observar su forma desde el exterior, notaríamos que la Vía Láctea parece un disco gigantesco cuyo diámetro es de más de 100.000 años luz, y cuyo espesor es aproximadamente la décima parte del diámetro. Al centro del disco se encuentra un núcleo formado por antiguas estrellas amarillas y rojas del cual parten brazos en forma de espiral, llenos de estrellas más recientes que emiten luz azul. Este sistema no tiene una posición fija, sino las estrellas que lo forman describen una órbita a una velocidad que tiende a disminuir con el aumento de la distancia al centro de la galaxia.

El brazo de Orión

Muchas galaxias tienen una típica forma de espiral pero pueden también tener una forma elíptica o irregular.

La Vía Láctea tiene forma de espiral, con un núcleo central del cual se desprenden los brazos de la galaxia.

En uno de estos brazos, llamado brazo de Orión, se encuentra el Sol, aproximadamente a 30.000 años luz del centro de la galaxia. La distancia es tan grande que, a pesar de que se mueve a 250 kilómetros por segundo, tarda cerca de 230 millones de años en completar una órbita alrededor del centro de la Vía Láctea.

La estrella más cercana al Sol es una enana roja llamada Próxima Centauri y se encuentra a cerca de 40 billones de kilómetros. Esta distancia es tan grande que la luz que proviene de ella, emplea 4,2 años para llegar a la Tierra, mientras que la luz del Sol se tarda solo 8,3 minutos.

Las estrellas que se encuentran en la zona periférica de la galaxia se mueven a menor velocidad que las estrellas centrales. Este es el motivo por el cual los brazos tienen una forma curvada hacia atrás.

El nacimiento del universo

Entre las teorías que intentan explicar el origen y la evolución del universo, una de las más acreditadas es la que habla de una gran explosión inicial llamada "Big Bang". De acuerdo con esta teoría, toda la materia y la energía cinética presentes en el cosmos tendrían su origen en una explosión ocurrida hace cerca de 15 mil millones de años. Antes del Big Bang toda la energía estaría concentrada en un núcleo extraordinariamente pequeño de densidad cercana al infinito y de altísima temperatura.

La materia se comenzaría a formar solo después de la explosión, ya que antes no habría podido resistir las enormes temperaturas. La nube de gas generada por la explosión se habría extendido y enfriado formando el material que se condensaría en las estrellas y constelaciones.

Solo en los últimos cien años los astrónomos han descubierto que el universo se expande más allá de los confines de nuestra galaxia. Las que parecían nubes de gas en el interior de la Vía Láctea se han revelado como otras galaxias semejantes a la nuestra, ubicadas mucho más allá de sus confines. Las observaciones telescópicas han permitido detectar millones de galaxias y han mostrado que la mayoría de ellas tienden a organizarse en grandes y pequeños grupos.

La Vía Láctea hace parte de un grupo local que comprende más de treinta galaxias.

EL SISTEMA SOLAR

Plutón

Neptuno

Alrededor del Sol rota un sistema planetario formado por nueve planetas con sus respectivos satélites. En relación con las dimensiones del universo, el sistema parece minúsculo a pesar de que la distancia entre el Sol y Plutón, el planeta más alejado, es de cerca de 6 mil millones de kilómetros.

La Tierra está más cerca a su estrella, a tan solo 150 millones de kilómetros, un espacio que es recorrido por la luz solar en un tiempo aproximado de ocho minutos. Los cuatro planetas más cercanos al Sol, es decir, Mercurio, Venus, Tierra y Marte, son densos y de pequeñas dimensiones. En las órbitas externas del sistema, se encuentran cuatro verdaderos gigantes gaseosos: Júpiter, Saturno, Urano y Neptuno, mientras que Plutón es el planeta más pequeño de todo el sistema y tiene la órbita más externa.

Urano

Los cometas

Los cometas están compuestos por la misma materia original del sistema solar. Estos cuerpos celestes cumplen trayectorias muy alargadas, y cuando pasan cerca de la Tierra son visibles como puntos luminosos con una larga cola.

Alrededor de los cuatro planetas gaseosos se encuentran anillos de varias dimensiones. Los más visibles son los que rodean a Saturno.

Saturno

Los meteoritos

Son cuerpos sólidos de varias dimensiones que vagan por el espacio. Cuando entran al campo de gravitación terrestre se vuelven incandescentes debido a la fricción con la atmósfera. Los meteoritos más pequeños se consumen completamente, mientras que aquellos de mayores dimensiones alcanzan a impactar la superficie terrestre a gran velocidad.

Los satélites

Durante las últimas décadas, numerosas sondas han realizado exploraciones del sistema solar. Estas observaciones han permitido el descubrimiento de nuevos satélites cuyo número actual es de 67, pero no se excluye que las misiones en progreso descubran algunos más.

Júpiter

Marte

Tierra

Venus

Mercurio

Los asteroides

En el espacio entre los planetas se encuentran objetos de menor proporción que reciben el nombre de planetoides o asteroides. Son cuerpos rocosos de forma irregular y pequeña dimensión, que se concentran principalmente entre Marte y Júpiter.

LOS PLANETAS

Los nueve planetas del sistema solar pueden ser divididos en dos grupos: aquellos de tipo terrestre y aquellos de tipo joviano. Al primer grupo pertenecen Mercurio, Venus, Tierra y Marte; en el segundo grupo se encuentran Júpiter, Saturno, Urano y Neptuno. Plutón es menos conocido e incluso hay dudas sobre su verdadera condición.

VENUS

Es semejante a la Tierra en masa y dimensión, pero está mucho más cerca del Sol, razón por la cual recibe el doble de la energía. La espesa capa de nubes que cubre el planeta refleja más del 70% de las radiaciones pero al mismo tiempo retiene los rayos infrarrojos gracias al efecto invernadero, de manera que la temperatura superficial alcanza los 480 °C. Su movimiento de rotación es el más lento de los planetas del sistema solar y se cumple en 243 días.

MERCURIO

Este planeta es el más cercano al Sol y tiene un diámetro de cerca 4.880 km. Está envuelto por una ligera capa de gas helio pero no posee una verdadera atmósfera. Por esta razón, su superficie está cubierta de cráteres originados por el impacto de meteoritos. Bajo la capa superficial se concentra un enorme núcleo de níquel-hierro, lo que hace que el planeta tenga una elevada densidad.

El periodo de rotación del planeta es de 59 días. Para completar una órbita alrededor del Sol, Mercurio tarda 88 días. En cercanías al ecuador, la temperatura diurna alcanza los 400 °C mientras que de noche desciende hasta -170 °C.

LA TIERRA

Desde el espacio, nuestro planeta aparece como un planeta azul con dos tercios de la superficie cubierta por el mar. La capa de aire que envuelve la Tierra contiene oxígeno y nitrógeno, gases que han favorecido el desarrollo de la vida. La atmósfera ofrece una eficaz protección contra los rayos ultravioleta y otras radiaciones.

El núcleo central está compuesto por hierro sólido rodeado por una capa del mismo metal en estado líquido, gracias a la altísima temperatura. Cerca de la superficie se encuentra el manto, el estrato anterior al estrato externo, la corteza que envuelve el planeta.

MARTE

Las temperaturas de Marte son las más parecidas a las terrestres y oscilan entre los -70 °C y los 15 °C. El movimiento de rotación del planeta se cumple en poco más de 24 horas mientras la órbita completa alrededor del Sol dura 687 días.

La superficie aparece de color rojo por la presencia de gránulos de polvo recubiertos por una capa delgada de óxido de hierro.

En los polos se extienden dos láminas heladas formadas por anhídrido carbónico, que cambian su extensión con el cambio de las estaciones.

El resto de la superficie presenta amplias planicies consteladas de cráteres producidos por la caída de meteoritos que se alternan con altas montanas y profundos cañones extendidos a lo largo de la línea del ecuador. Las dos pequeñas lunas que rotan alrededor del planeta tienen una curiosa forma de patata.

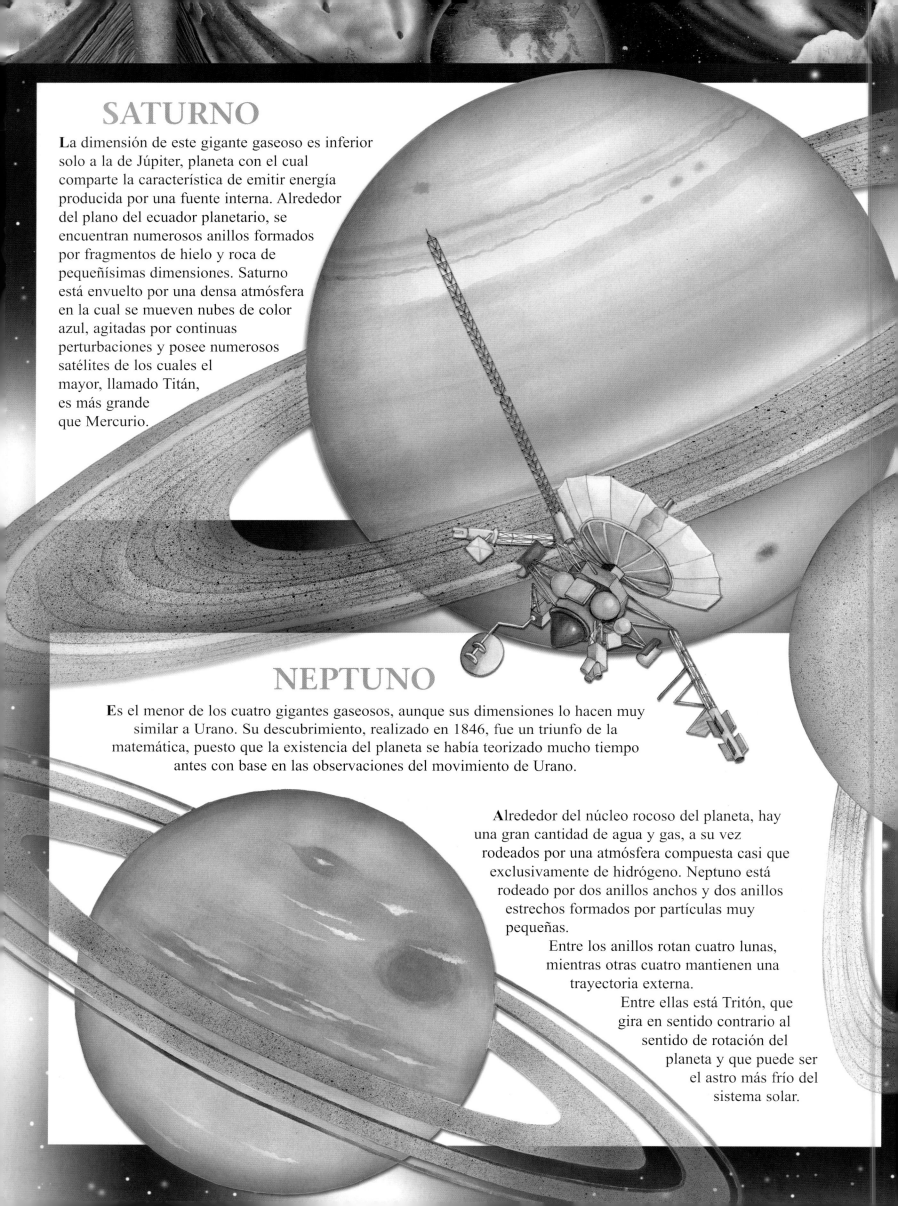

SATURNO

La dimensión de este gigante gaseoso es inferior solo a la de Júpiter, planeta con el cual comparte la característica de emitir energía producida por una fuente interna. Alrededor del plano del ecuador planetario, se encuentran numerosos anillos formados por fragmentos de hielo y roca de pequeñísimas dimensiones. Saturno está envuelto por una densa atmósfera en la cual se mueven nubes de color azul, agitadas por continuas perturbaciones y posee numerosos satélites de los cuales el mayor, llamado Titán, es más grande que Mercurio.

NEPTUNO

Es el menor de los cuatro gigantes gaseosos, aunque sus dimensiones lo hacen muy similar a Urano. Su descubrimiento, realizado en 1846, fue un triunfo de la matemática, puesto que la existencia del planeta se había teorizado mucho tiempo antes con base en las observaciones del movimiento de Urano.

Alrededor del núcleo rocoso del planeta, hay una gran cantidad de agua y gas, a su vez rodeados por una atmósfera compuesta casi que exclusivamente de hidrógeno. Neptuno está rodeado por dos anillos anchos y dos anillos estrechos formados por partículas muy pequeñas.

Entre los anillos rotan cuatro lunas, mientras otras cuatro mantienen una trayectoria externa.

Entre ellas está Tritón, que gira en sentido contrario al sentido de rotación del planeta y que puede ser el astro más frío del sistema solar.

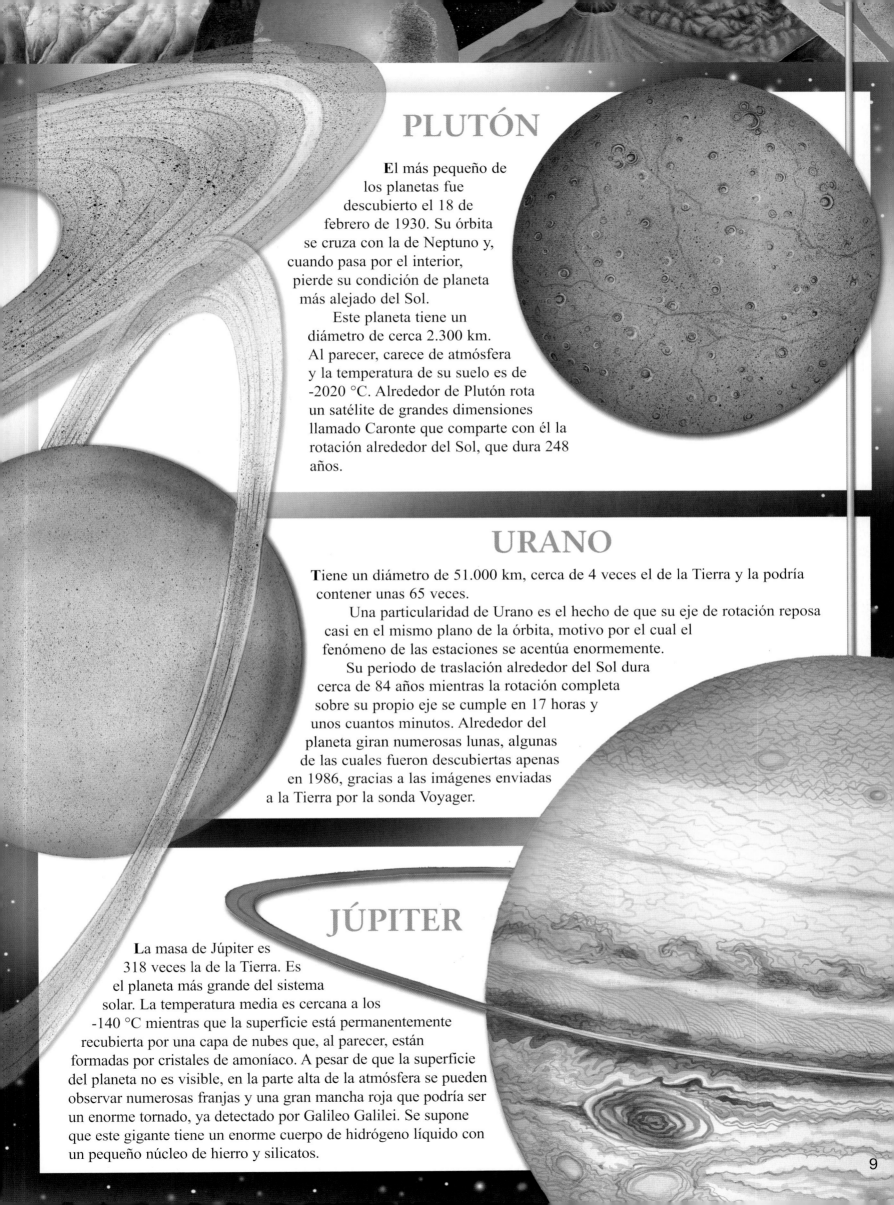

PLUTÓN

El más pequeño de los planetas fue descubierto el 18 de febrero de 1930. Su órbita se cruza con la de Neptuno y, cuando pasa por el interior, pierde su condición de planeta más alejado del Sol.

Este planeta tiene un diámetro de cerca 2.300 km. Al parecer, carece de atmósfera y la temperatura de su suelo es de -2020 °C. Alrededor de Plutón rota un satélite de grandes dimensiones llamado Caronte que comparte con él la rotación alrededor del Sol, que dura 248 años.

URANO

Tiene un diámetro de 51.000 km, cerca de 4 veces el de la Tierra y la podría contener unas 65 veces.

Una particularidad de Urano es el hecho de que su eje de rotación reposa casi en el mismo plano de la órbita, motivo por el cual el fenómeno de las estaciones se acentúa enormemente.

Su periodo de traslación alrededor del Sol dura cerca de 84 años mientras la rotación completa sobre su propio eje se cumple en 17 horas y unos cuantos minutos. Alrededor del planeta giran numerosas lunas, algunas de las cuales fueron descubiertas apenas en 1986, gracias a las imágenes enviadas a la Tierra por la sonda Voyager.

JÚPITER

La masa de Júpiter es 318 veces la de la Tierra. Es el planeta más grande del sistema solar. La temperatura media es cercana a los -140 °C mientras que la superficie está permanentemente recubierta por una capa de nubes que, al parecer, están formadas por cristales de amoníaco. A pesar de que la superficie del planeta no es visible, en la parte alta de la atmósfera se pueden observar numerosas franjas y una gran mancha roja que podría ser un enorme tornado, ya detectado por Galileo Galilei. Se supone que este gigante tiene un enorme cuerpo de hidrógeno líquido con un pequeño núcleo de hierro y silicatos.

LA VIDA DE LAS ESTRELLAS

Cuando la temperatura de la protoestrella alcanza los 10 millones de grados, se desencadena la reacción de fusión nuclear, capaz de transformar el hidrógeno en helio dando origen a la vida de la estrella.

En el primer periodo de vida estelar, la energía producida por el núcleo crece hasta el punto de compensar la presión ejercida por la capa externa, otorgando a la estrella una fase de estabilidad.

Todas las estrellas tienen un ciclo vital más o menos largo que comienza con la adición del polvo contenido en las nebulosas cósmicas. Polvo y gas se unen por efecto de la fuerza de gravedad. Cuando aumenta progresivamente la presión sobre las capas internas, se calientan los átomos al punto de emitir una débil radiación rojiza, primer indicio del nacimiento de una protoestrella.

Las estrellas más grandes tienen una vida más breve porque se consumen a temperaturas altísimas.

Los cometas

Los cometas son cuerpos celestes formados por un pequeño núcleo rodeado por una atmósfera llamada coma. Al parecer, la parte central está formada por fragmentos de roca cósmica y minúsculos granos circundados por una masa helada.

Cuando el cometa está lejos del Sol, carece de la larga cola y se hace visible solo gracias a la luz que se refleja en su cabeza. Cuando el cometa se acerca al Sol, de la coma nace una cola, generada por la evaporación de gran parte de la masa helada, que se extiende por millones de kilómetros.

La luz reflejada por esta cola hace que el cometa sea muy luminoso.

La coma y la cola del cometa siempre se orientan en dirección contraria al Sol. Este fenómeno es provocado por la presión generada por el viento solar.

Enanas blancas y enanas negras

La fase de estabilidad de la estrella dura hasta cuando se extingue el hidrógeno contenido en el núcleo. Una estrella con masa semejante a la del Sol emplea cerca de 10 mil millones de años antes de consumir todo su combustible. Luego se pasa a una fase de oscilación entre contracciones y expansiones que se resuelve en una enorme dilatación final que transformará la estrella en una gigante roja. En este tipo de estrella el núcleo no puede compensar el peso de los estratos externos: con el tiempo, la gigante roja colapsa sobre sí misma dando origen a una enana blanca de dimensiones semejantes a las de la Tierra. Una vez se haya agotado una buena parte del combustible de la estrella, la enana blanca estará destinada a brillar débilmente hasta el completo enfriamiento que la transformará en una enana negra.

Las novas

Si la masa inicial de la estrella es, más o menos, una vez y media la del Sol, terminada la fase de estabilidad, se contrae hasta explotar. Se convierte entonces en una nova de forma anular cuyo núcleo se transforma en una enana blanca mientras su anillo externo gradualmente se disuelve en el espacio.

Pulsar o estrella de neutrones

Las estrellas con masa elevada dan origen a gigantes rojas con temperaturas muy altas que explotan generando supernovas de luminosidad muy intensa. La masa que no se dispersa por la explosión sufre una compresión fortísima y se concentra en un núcleo de enorme densidad llamado pulsar o estrella de neutrones.

Agujeros negros

Para las estrellas que contienen una masa de hidrógeno tres o cuatro veces superior a la del Sol, se teoriza un destino diferente: la explosión de la supernova produce un núcleo tan denso que colapsa sobre sí mismo. En este núcleo, la materia sufre una reducción del volumen inimaginable. En estas condiciones ni siquiera la luz puede escapar de semejante cuerpo, que permanece invisible en la forma de un agujero negro.

LAS CONSTELACIONES

Si observamos la bóveda celeste antes de que la luz del alba aclare el cielo y haga desaparecer las estrellas, notaremos que el Sol parece nacer en un punto diferente respecto al día anterior. Este desplazamiento es solo aparente, porque es la Tierra la que se mueve siguiendo una órbita elíptica y es precisamente este movimiento el que produce el aparente cambio en la posición de las estrellas que componen el telón de fondo cuando sale Sol.

En el curso de una rotación completa se alternan, con frecuencia mensual, doce constelaciones llamadas del Zodiaco.

Las constelaciones

Aparte de las anteriores, hay otras constelaciones que aparecen en el cielo nocturno. Identificadas hace miles de años, conservan el nombre que les asignaron sus descubridores. Así, el mítico Orión, favorecido por los dioses, sigue cazando, enfrentando al Escorpión que lo amenaza. Las dos constelaciones de la Osa Mayor y Osa Menor no son otra cosa que Calixto y su hijo, transformados por una diosa, mientras el héroe Perseo tiene en su mano la cabeza de la Medusa.

Los telescopios

Los primeros telescopios fueron apuntados al cielo por los astrónomos del siglo XVII. Galileo Galilei fue uno de los pioneros de la observación astral con un telescopio de lentes, mientras Isaac Newton proyectó un sistema de ampliación de las imágenes aprovechando las propiedades de los espejos.

Los modernos telescopios son estructuras complejas capaces de capturar la luz proveniente de puntos muy lejanos del universo. Están compuestos por una serie de espejos que amplían las señales de entrada antes de enviarlos a cámaras fotográficas y espectroscopios en condiciones de determinar la temperatura de las estrellas. Para evitar las interferencias provocadas por el paso de la luz entre los gases de la atmósfera, estas estaciones de observación se localizan a gran altura donde el aire es menos denso.

Un antiguo observatorio

Para explorar las estrellas, los antiguos mayas construyeron una extraña torre en piedra, cuyas ventanas estaban orientadas de manera que se pudieran observar las zonas del cielo astronómicamente importantes.

EL SOL

Nuestra estrella está ubicada en el brazo de Orión a unos 30.000 años luz del centro de la galaxia. Se trata de un cuerpo celeste de enormes proporciones que puede contener más de un millón de veces a la Tierra y que no presenta grandes diferencias con buena parte de las estrellas que brillan en el cielo.

Es la única fuente de energía del sistema, sin la cual la vida en nuestro planeta sería imposible. La masa solar está compuesta casi completamente por hidrógeno incandescente que, en el núcleo central, alcanza temperaturas cercanas a los 14 millones de grados centígrados. Al igual que en todas las estrellas, la energía irradiada por el Sol es producida por las impresionantes reacciones de fusión nuclear que se producen en su interior, donde los átomos de hidrógeno se funden formando helio.

La atmósfera solar

Alrededor de la superficie solar se eleva una atmósfera compuesta por dos capas superpuestas. El nivel interno, llamado cromosfera es continuamente atravesado por chorros incandescentes que se alzan a una altura de 10.000 a 20.000 km sobre la fotosfera. El estrato externo, llamado corona, está formado por una capa gaseosa que se extiende hasta alcanzar el planeta Plutón.

Los eclipses

Los eclipses se producen cuando el Sol, la Tierra y la Luna se alinean de manera tal que los rayos solares son interceptados por el cuerpo celeste que se encuentra en medio.

Un eclipse de Luna se produce cuando la Tierra se interpone entre el Sol y la Luna, dejando a oscuras el satélite. El eclipse de Sol ocurre cuando es la Luna la que se interpone provocando el oscurecimiento de una porción de la superficie terrestre. El cono de sombra proyectado por la Luna no es muy extenso, razón por la cual el oscurecimiento total ocurre en una zona muy pequeña y dura un breve periodo de tiempo.

Si la órbita lunar alrededor de la Tierra estuviera en el mismo plano de la órbita terrestre alrededor del Sol, los eclipses ocurrirían con una frecuencia mensual.

En realidad, los dos planos están desfasados aproximadamente 5° y las condiciones de alineación son mucho menos frecuentes.

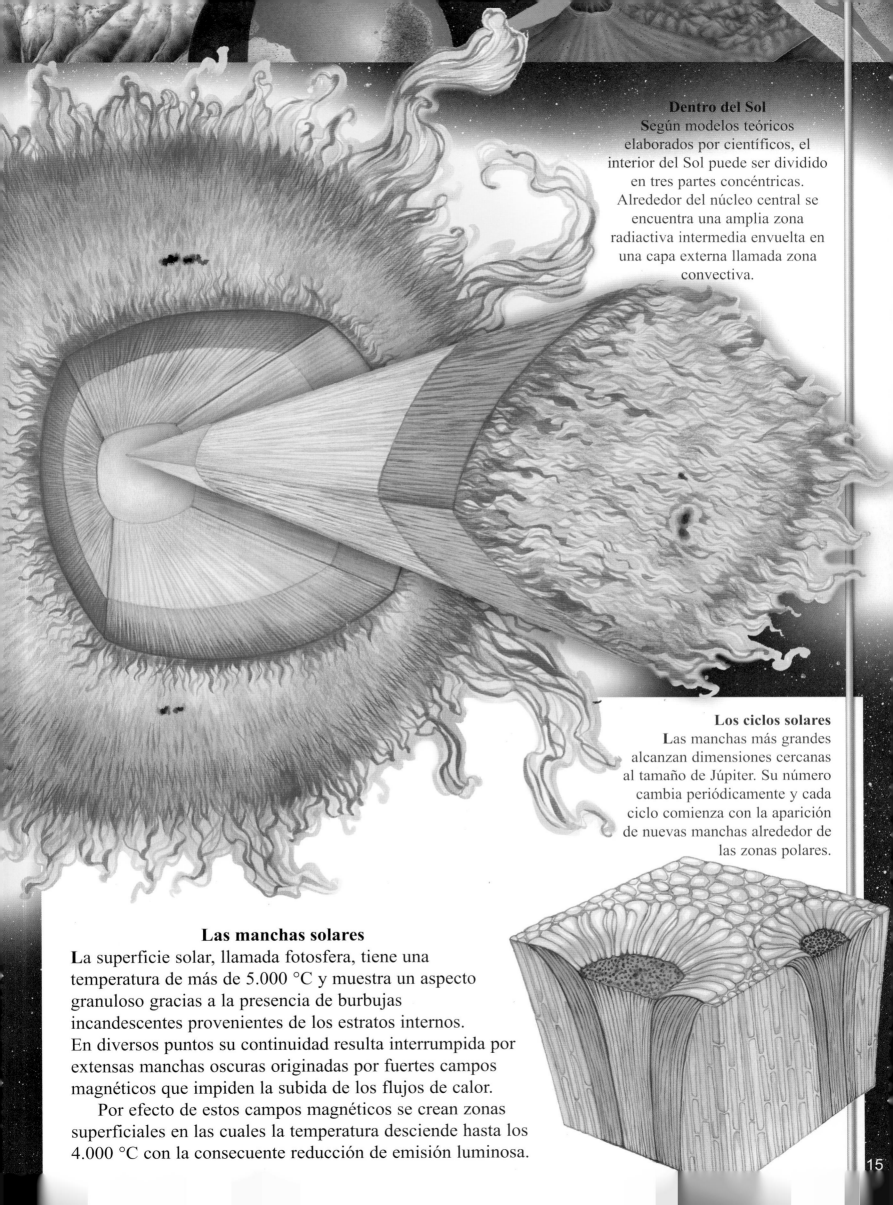

Según modelos teóricos
elaborados por científicos, el
interior del Sol puede ser dividido
en tres partes concéntricas.
Alrededor del núcleo central se
encuentra una amplia zona
radiactiva intermedia envuelta en
una capa externa llamada zona
convectiva.

Los ciclos solares
Las manchas más grandes
alcanzan dimensiones cercanas
al tamaño de Júpiter. Su número
cambia periódicamente y cada
ciclo comienza con la aparición
de nuevas manchas alrededor de
las zonas polares.

Las manchas solares

La superficie solar, llamada fotosfera, tiene una
temperatura de más de 5.000 °C y muestra un aspecto
granuloso gracias a la presencia de burbujas
incandescentes provenientes de los estratos internos.
En diversos puntos su continuidad resulta interrumpida por
extensas manchas oscuras originadas por fuertes campos
magnéticos que impiden la subida de los flujos de calor.

Por efecto de estos campos magnéticos se crean zonas
superficiales en las cuales la temperatura desciende hasta los
4.000 °C con la consecuente reducción de emisión luminosa.

LA TIERRA

La estructura de la Tierra aparece como resultado de una serie de estratos concéntricos de diverso espesor. El estrato rocoso externo sobre el cual vivimos recibe el nombre de corteza. Es una cobertura rígida cuyo espesor va desde los 70 km –en el caso de las placas continentales–, hasta menos de 10 km –en el caso del lecho oceánico–. El manto es el estrato central que llega a 2.900 km de profundidad.

Las temperaturas del manto oscilan desde algunos cientos de grados en zonas cercanas a la corteza, hasta alrededor de 3.000 °C cerca al núcleo. La masa del manto está formada por silicatos y óxidos de hierro, magnesio y silicio.

El núcleo central tiene un radio de más de 3.400 km, divididos en una parte externa compuesta por materiales líquidos y una más profunda, de consistencia sólida. La temperatura asciende a más de 4.000 °C, pero, la parte más interna permanece en estado sólido gracias a la enorme presión a la que se ve sometida. El núcleo parece estar compuesto por hierro y níquel con algún elemento más ligero.

Antigua representación de la Tierra.

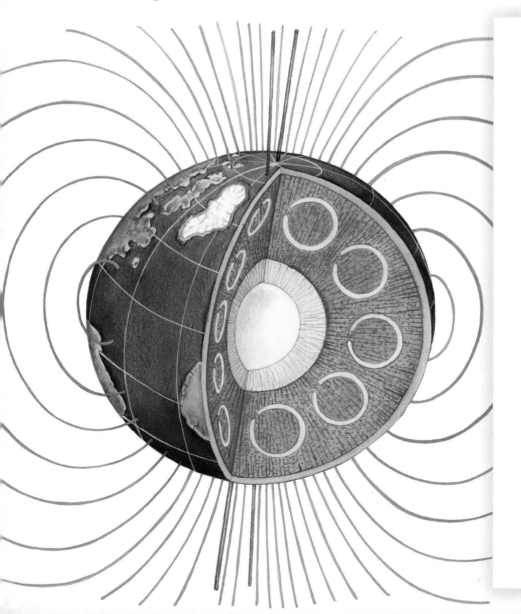

La existencia de un campo magnético alrededor de la Tierra es conocida desde la Antigüedad, aunque sus características han sido estudiadas sistemáticamente solo en tiempos recientes. La distribución de las líneas electromagnéticas indica que el campo se distribuye desde los estratos interiores hasta envolver completamente el planeta. Según hipótesis recientes, el campo magnético nace gracias a movimientos de las masas metálicas presentes en el núcleo externo del planeta. El movimiento de enormes cantidades de hierro y níquel y su interacción con otros metales presentes en el manto, producen un gigantesco efecto dínamo capaz de generar una celda magnética que se extiende por miles de kilómetros.

El campo magnético terrestre
El eje del campo magnético terrestre está ligeramente inclinado respecto al eje de rotación de la Tierra. Esto hace que el polo norte magnético indicado por las brújulas no coincida perfectamente con el polo norte geográfico.

Dentro de la Tierra

Parte de la información sobre la composición de los estratos internos de la Tierra nace del estudio de las ondas sísmicas. Los terremotos producen vibraciones que se propagan dependiendo del tipo de roca que encuentran. Al registrar las variaciones de onda, los científicos han teorizado una estructura del planeta en estratos concéntricos.

Efectos del campo magnético

El campo magnético que envuelve la Tierra protege al planeta del bombardeo de electrones y protones emitidos por el Sol.

Estas partículas que viajan en el espacio a gran velocidad son llamadas "viento solar" y son dañinas para los organismos vivientes.

Cuando el viento solar encuentra el campo magnético terrestre, el flujo de las partículas es desviado por el escudo magnético alrededor de la magnetosfera.

EL NACIMIENTO DE LA TIERRA

Los científicos sugieren que la Tierra nació hace 5 mil millones de años aproximadamente, época en la cual comenzó la formación del sistema solar a partir de una gigantesca nube de gas y polvo.

Se presume que la rotación de la nube primitiva agregó la mayor parte de las partículas sólidas por efecto de la fuerza gravitacional. En el centro del disco, las enormes presiones producidas por la fuerza de gravedad desencadenaron una reacción de fusión nuclear, típica de todas las estrellas, capaz de irradiar luz y calor.

El resto del polvo cósmico se concentró en cuerpos de menores dimensiones en órbita alrededor de la estrella Sol, destinados a convertirse en los nueve planetas del sistema solar.

La primera esfera

La vida de la Tierra durante los primeros millones de años sigue siendo un misterio. El planeta era una bola incandescente y fluida en la que los minerales más livianos tendían a subir a la superficie mientras aquellos más pesados se concentraban en el núcleo. Hace unos 4 mil millones de años la Tierra estaba envuelta por densas nubes de vapor de agua, nitrógeno y anhídrido carbónico emitidos por las rocas de la superficie. La dispersión de calor hacia el cosmos hizo bajar progresivamente la temperatura favoreciendo la formación de los primeros fragmentos de corteza sólida sobre los cuales cayeron lluvias torrenciales durante miles de años.

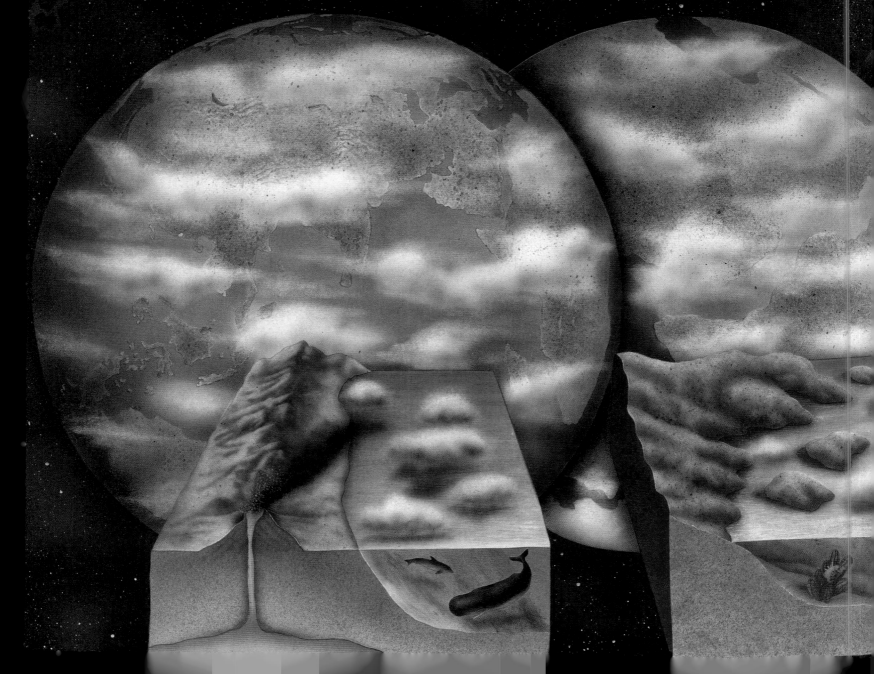

Mares y océanos

Durante el proceso de enfriamiento, la lava y las rocas superficiales extraordinariamente calientes, liberaban nubes de vapor de agua. Estas masas gaseosas se enfriaban progresivamente haciendo precipitar lluvias torrenciales que cayeron sobre la Tierra durante miles de años. El fenómeno aceleró el enfriamiento de la superficie y, gradualmente, contribuyó decisivamente a la formación de los mares y los océanos.

LAS MARAVILLAS

La superficie de nuestro planeta está cubierta de una enorme variedad de paisajes espectaculares y hermosos. Cada uno de ellos es el testimonio de procesos naturales antiguos como las eras geológicas, y es una obra maestra en continua y lenta evolución en la que las fuerzas de la naturaleza permanecen activas.

Cataratas del Niágara. Situadas entre el lago Erie y el lago Ontario, son unas de las más imponentes del planeta.

Devils Tower. Es una columna de basalto de forma cilíndrica, producida por una erupción volcánica. Con 386 metros de altura, tiene la cima plana y los lados modelados por profundas franjas.

Monument Valley. Se encuentra en los Estados Unidos, entre los estados de Utah y Arizona. Aquí se extiende una depresión árida sobre la cual se perfilan las inconfundibles formas de las "mesas".

El Gran Cañón es una profunda depresión, de más de 400 km de longitud, creada por la erosión de las aguas del río Colorado.

Rainbow Bridge. Este gran arco en arenisca, que asemeja a un arco iris, se encuentra en el sur del estado de Utah.

El río Amazonas. Corre por casi 6.500 km atravesando América meridional. En su cuenca hidrográfica, de clima cálido y húmedo, crece la más extensa selva lluviosa del mundo donde encuentran refugio miles de especies animales diferentes.

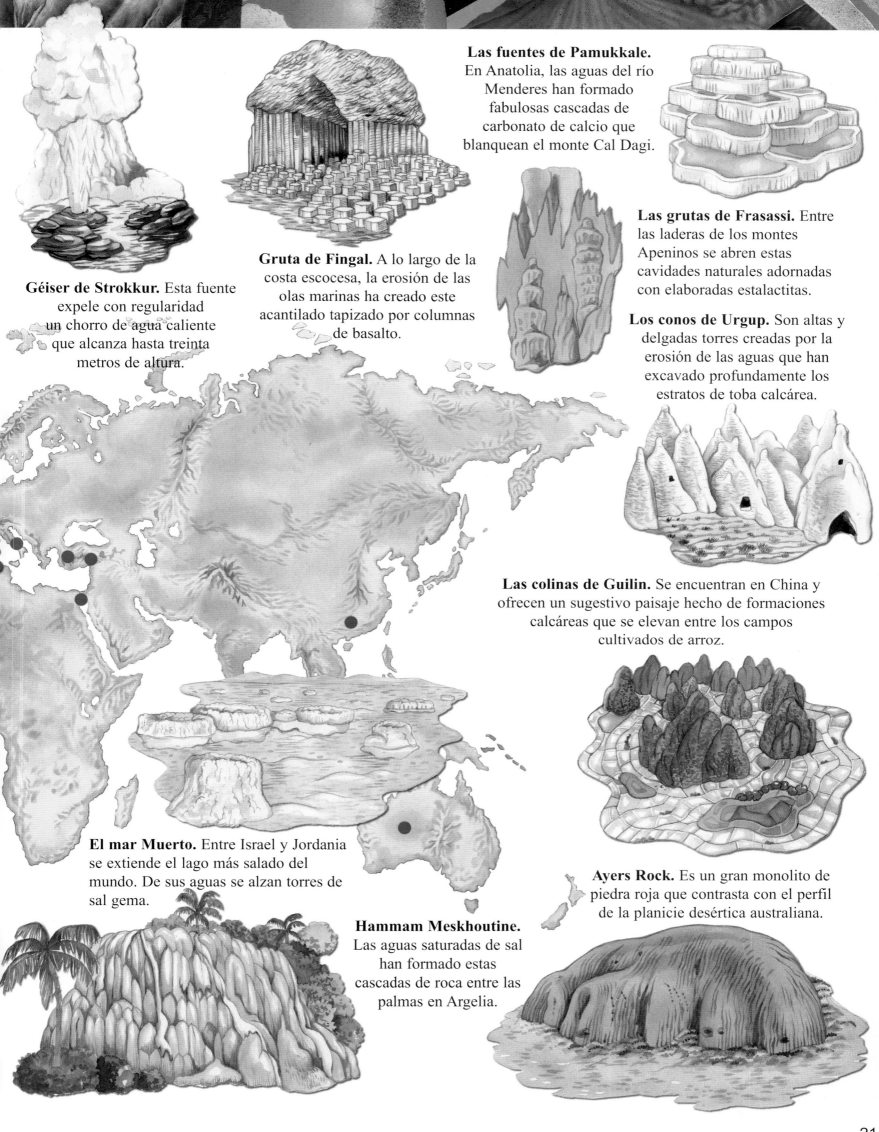

Géiser de Strokkur. Esta fuente expele con regularidad un chorro de agua caliente que alcanza hasta treinta metros de altura.

Las fuentes de Pamukkale. En Anatolia, las aguas del río Menderes han formado fabulosas cascadas de carbonato de calcio que blanquean el monte Cal Dagi.

Gruta de Fingal. A lo largo de la costa escocesa, la erosión de las olas marinas ha creado este acantilado tapizado por columnas de basalto.

Las grutas de Frasassi. Entre las laderas de los montes Apeninos se abren estas cavidades naturales adornadas con elaboradas estalactitas.

Los conos de Urgup. Son altas y delgadas torres creadas por la erosión de las aguas que han excavado profundamente los estratos de toba calcárea.

Las colinas de Guilin. Se encuentran en China y ofrecen un sugestivo paisaje hecho de formaciones calcáreas que se elevan entre los campos cultivados de arroz.

El mar Muerto. Entre Israel y Jordania se extiende el lago más salado del mundo. De sus aguas se alzan torres de sal gema.

Hammam Meskhoutine. Las aguas saturadas de sal han formado estas cascadas de roca entre las palmas en Argelia.

Ayers Rock. Es un gran monolito de piedra roja que contrasta con el perfil de la planicie desértica australiana.

21

LAS PLACAS CONTINENTALES

La Tierra está cubierta por una corteza rígida llamada litosfera que alcanza 60 km de profundidad.

Donde la litosfera es más delgada y está formada por rocas basálticas, recibe el nombre de Corteza Oceánica; allí donde es más gruesa y está formada por rocas magmáticas de tipo granítico, recibe el nombre de Corteza Continental. La corteza no es una cubierta continua, sino que está fragmentada en un cierto número de partes llamadas placas o terrones litosféricos, en lento pero constante movimiento. Los estudios más recientes sugieren que existe una veintena de estas placas, de las cuales solo siete son de grandes dimensiones. Las áreas internas de cada placa son bastante tranquilas mientras los márgenes externos están marcados por cadenas volcánicas de fuerte actividad sísmica; precisamente estos fenómenos han permitido identificar los bordes de las diferentes placas.

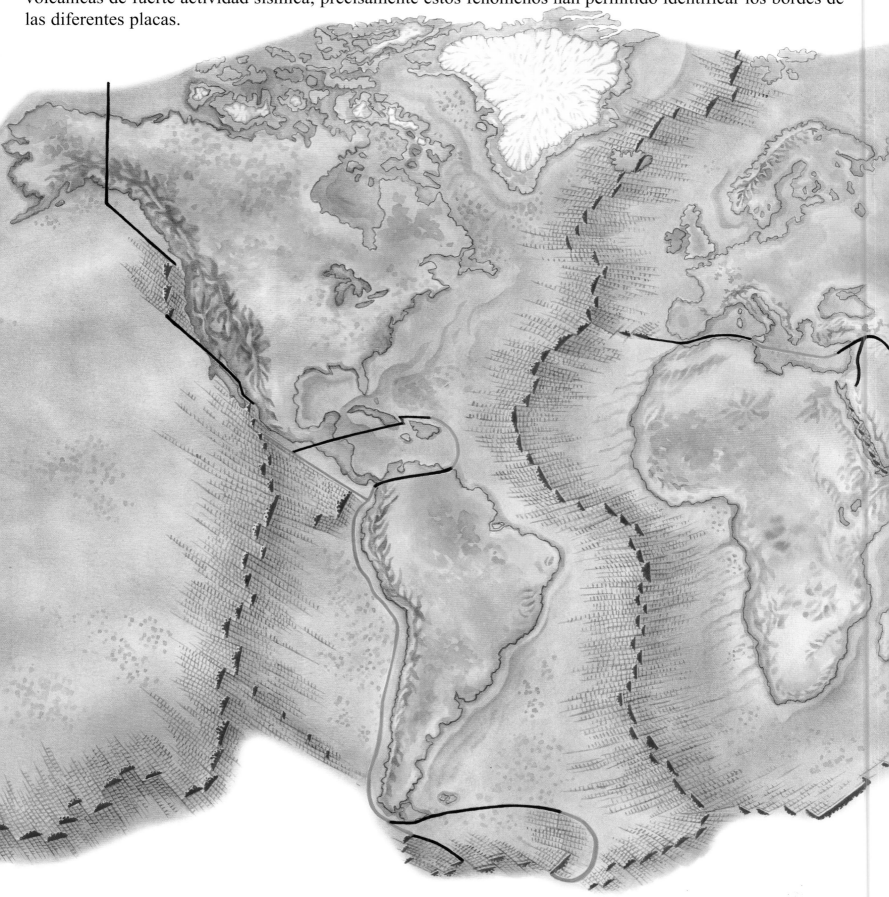

Las corrientes convectivas

Las placas de la litosfera flotan sobre un estrato plástico y fluido llamado astenosfera. El lento desplazamiento de los terrones se origina en el movimiento del material caliente hacia la superficie y en el hundimiento de los estratos fríos superiores.

Una vez en las profundidades, el material frío se calienta y resurge originando un nuevo ciclo convectivo.

Fosas y dorsales

Los movimientos convectivos del material del manto laceran el estrato externo de la corteza y provocan los desplazamientos de los terrones. Allí donde las corrientes resurgen hacia la superficie. se forman largas hendiduras llamadas dorsales de las cuales brota el magma. Donde el movimiento de las corrientes es descendente, la vieja corteza se hunde en el manto creando las fosas.

Los puntos calientes

Aunque la mayoría de los volcanes están concentrados a lo largo de los bordes de las placas, existen zonas de brote magmático en áreas aparentemente estables e inactivas. Estos fenómenos dependen de la presencia de puntos calientes en áreas profundas del manto, de las cuales se originan columnas de magma tan calientes como para perforar la corteza y brotar hacia la superficie.

23

LAS PLACAS

El lento y continuo movimiento de
las placas continentales produce los
efectos más evidentes a lo largo de
los bordes de las mismas: si dos
placas se alejan, la separación entre
los bordes crea una fractura a lo largo
de la cual surge el magma del manto.

Este material ocupa el espacio libre y da
origen a una dorsal oceánica a lo largo de la
línea de fractura. Si el movimiento es convergente se pueden verificar tres
situaciones distintas: el encuentro de dos fragmentos continentales, el
acercamiento de una corteza continental a una oceánica o el choque entre
dos bordes oceánicos. En el caso en el que las placas se deslizan
lateralmente entre ellas, el movimiento está acompañado de una intensa
actividad sísmica, pero no se crea una nueva corteza.

Las fracturas profundas, llamadas fallas transformantes, se encuentran
principalmente a lo largo de la corteza oceánica y resultan poco visibles.

Hace cerca de 300 millones
de años los continentes se
encontraban reunidos en un
área comprendida casi por
completo entre los dos
trópicos.

Gran Valle del Rift

En las zonas adyacentes a los bordes divergentes de dos
plataformas se forman fracturas llamadas rift de las cuales surge el
material magmático. Un rift se puede formar también a lo largo de las líneas de fractura de las
placas continentales, donde las partes se separan formando una larga y profunda depresión como
la del Gran Valle del Rift, que se extiende por más de 5.000 km desde Turquía hasta el
África Oriental.

La falla de San Andrés

Es una profunda fractura que atraviesa California a lo largo
de la línea de desplazamiento lateral entre dos
placas. En 10 millones años este
movimiento podría desplazar la
ciudad de Los Ángeles a la
misma latitud de San
Francisco.

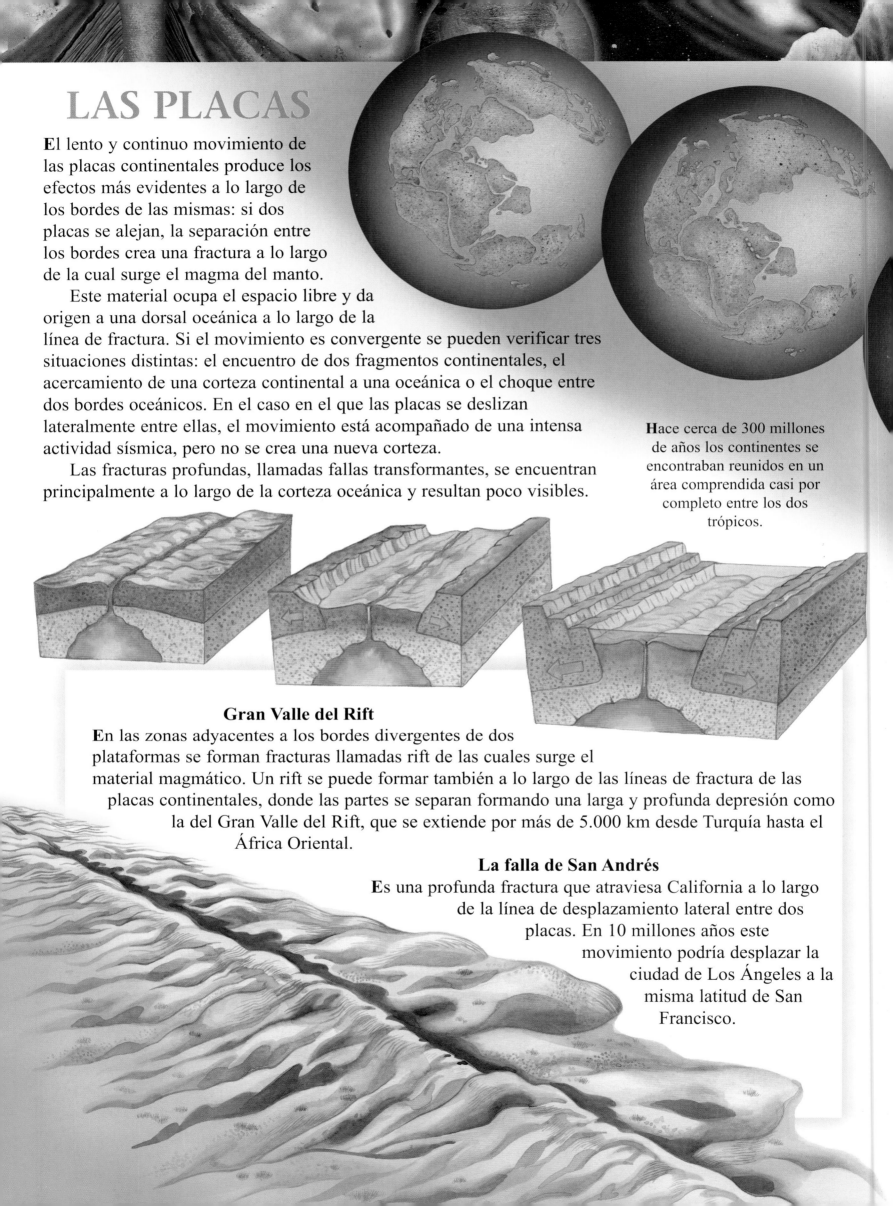

Choque entre dos continentes

Cuando dos bloques de litosfera continental se encuentran, el espesor de las dos placas evita el completo deslizamiento de una bajo la otra. A lo largo de la línea de contacto, las rocas se deforman creando cadenas montañosas altísimas.

Estos límites se caracterizan por una fuerte actividad sísmica, pero no presentan alguna actividad volcánica.

Choques entre océanos

En este caso, una de las placas se desliza bajo la otra creando una profunda fosa oceánica. El magma que surge en medio del océano forma cadenas de islas volcánicas que presentan una fuerte actividad sísmica.

Océano contra continente

Si entran en contacto estos dos tipos de bloques, la litosfera continental, más gruesa y ligera, sobrepasa la oceánica empujándola hacia abajo. A lo largo del borde continental se forma una cadena montañosa con una alta presencia de volcanes a través de los cuales se libera el magma producido por la fusión del material llevado a las profundidades por la placa más delgada.

LOS VOLCANES

Los volcanes son fracturas en la corteza terrestre por las que encuentra salida el magma formado en los estratos del manto donde las rocas se funden por las altas temperaturas. Las modalidades de salida dependen de la consistencia del magma y del tipo de fractura que encuentra a lo largo del recorrido.

Si la apertura es larga y estrecha, el material fundido se expande y, una vez enfriado, crea superficies planas de roca; si el magma encuentra una salida por un conducto vertical, se genera una erupción central. En tal caso la fractura de la corteza se presenta en forma casi circular y recibe el nombre de cráter.

El magma surge de la cámara en la que se encuentra almacenado a través de un conducto subterráneo hasta llegar al cráter. La continua actividad eruptiva del volcán generará la acumulación de grandes cantidades de material que se convierten finalmente en la estructura volcánica como tal.

Las erupciones volcánicas más violentas, llamadas explosivas, se verifican en presencia de lava viscosa mezclada con grandes cantidades de gas. Solidificándose en la boca del volcán, la lava crea un obstáculo para la salida del material eruptivo. La presión del magma proveniente de las profundidades aumenta hasta romper el bloque de lava, disipando en la atmósfera gas y materia sólida. Otras erupciones, llamadas efusivas, se desarrollan de un modo más tranquilo con brotes de lava que se deslizan alrededor del cono volcánico.

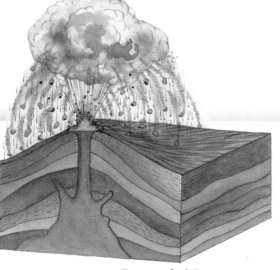

Lava ácida

La lava ácida tiene una consistencia más densa y retiene en su interior los gases. Cuando alcanza la superficie, los libera de manera explosiva lanzando lapilli (fragmentos piroclásticos) y cenizas.

Lava básica

La lava básica es más fluida y durante la erupción pierde el componente gaseoso, de manera que al llegar al exterior se disipa fluyendo lentamente.

En el año 79, la violenta erupción del Vesubio destruyó la ciudad de Pompeya.

La columna de ceniza y lapilli ardientes se eleva en la atmósfera alcanzando decenas de kilómetros. Los vientos transportan la nube llevándola a grandes distancias.

Las erupciones explosivas proyectan en el aire fragmentos llamados material piroclástico. Los fragmentos más pequeños constituyen las cenizas, los de diámetro mayor de 2mm son llamados lapilli.

El material magmático, compuesto de partes fluidas y gaseosas, surge de la cámara de almacenamiento hasta el cráter a través de un pasaje llamado camino volcánico.

A lo largo del cono volcánico se abren cráteres secundarios de los cuales brota la lava.

El magma se origina en el manto terrestre en donde la temperatura es lo suficientemente alta para provocar la fusión de las rocas y se almacena en la cámara magmática.

LAS ROCAS

Las rocas son masas sólidas formadas por acumulación de minerales. Casi todas las que se encuentran en la corteza terrestre presentan una combinación de silicio y oxígeno con metales ligeros y aluminio. Su origen se remonta al periodo de enfriamiento de la superficie del planeta. De todas formas, la composición de estas rocas cambia sensiblemente debido a los materiales que surgieron del manto terrestre durante las erupciones volcánicas y a los movimientos de las placas.

Las rocas se clasifican de acuerdo con su origen en:

Rocas ígneas: formadas por la solidificación del magma. *Rocas sedimentarias:* constituidas por la compresión de distintos fragmentos. *Rocas metamórficas:* derivadas de rocas preexistentes sometidas a las temperaturas y a la presión del subsuelo.

Las gemas

Cada mineral presenta una composición química y una determinada red cristalina. Algunos cristales son particularmente preciosos y regulares, tanto que se usan en la producción de joyas. El valor de tales gemas se calcula con base en la dureza, la densidad, el color y la refracción de la luz.

Testimonios del pasado

Los fósiles son restos de organismos animales o vegetales que vivieron en épocas antiguas y que llegan a nuestros días petrificados dentro de rocas. Solo los residuos orgánicos que se cubrieron de agua o del mismo terreno poco tiempo después de la muerte del animal o la planta, pudieron haber sufrido tal fenómeno. En estos casos las partes más resistentes sobrevivieron a la acción destructiva de los agentes meteóricos, así como las conchas recubiertas por los sedimentos quedaron impresas en la roca. En algunos casos el paso del agua a través de la concha dejó sustancias minerales en el interior, permitiendo obtener también un modelo interno del animal.

Rocas sedimentarias

Se forman por depósito de materiales de otras rocas o por la acumulación de minerales provenientes de restos orgánicos. Generalmente están compuestas por fragmentos de rocas deshechas por los agentes atmosféricos, sedimentadas por efecto de la compresión.

Rocas metamórficas

Cuando las rocas superficiales son empujadas hacia los estratos más bajos, sufren un proceso de metamorfosis. El aumento de la presión y de la temperatura crea una variación en las características de los minerales presentes en la roca hasta la cristalización de los mismos. Este proceso produce distintos tipos de roca metamórfica, de acuerdo con los materiales presentes durante la metamorfosis.

Rocas ígneas

Se derivan del magma contenido en los estratos internos del subsuelo. El magma, al solidificarse antes del contacto con el exterior, forma rocas ígneas intrusivas, ricas en cristales heterogéneos. Cuando la lava alcanza la superficie se enfría más rápidamente, creando rocas ígneas extrusivas que presentan cristales mucho más pequeños.

29

EL TERREMOTO

El terremoto es una vibración de la corteza terrestre causada por la liberación de energía proveniente del subsuelo. La causa más frecuente de un sismo es la fuerte tensión que se genera entre las distintas placas de la corteza externa. Las rocas de la litosfera, sometidas a compresiones y estiramientos provenientes de los choques entre los estratos inferiores, se deforman hasta el límite de rotura. Superando este límite, se rompen desencadenando el terremoto. El punto donde se genera el sismo se denomina "hipocentro" y habitualmente se encuentra a una profundidad de 30 km. El punto sobre la superficie se llama "epicentro". La energía liberada se propaga a través de las ondas sísmicas que son la causa de los terribles daños provocados por el fenómeno.

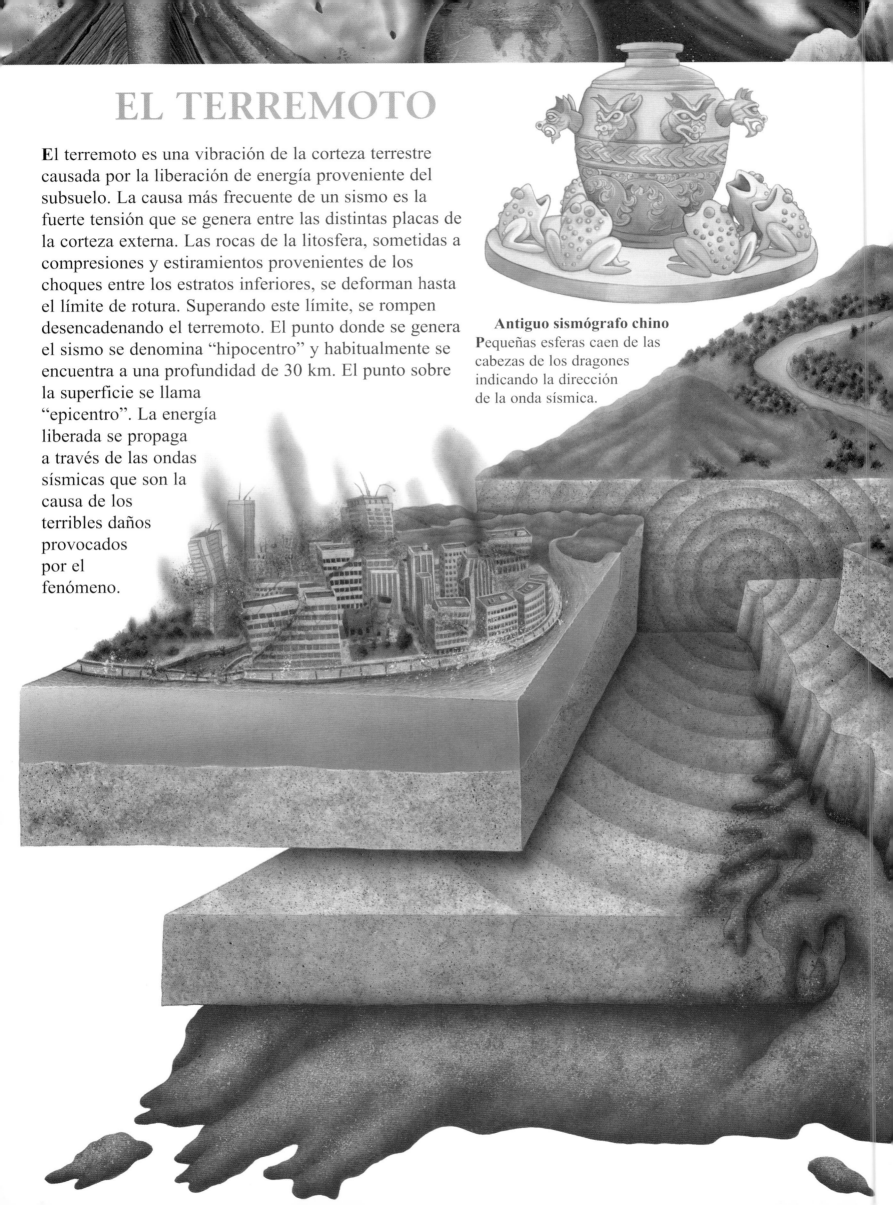

Antiguo sismógrafo chino
Pequeñas esferas caen de las cabezas de los dragones indicando la dirección de la onda sísmica.

La intensidad de un terremoto

La cantidad de energía liberada en un terremoto se llama magnitud y se mide con los sismógrafos. Al calcular la amplitud de las oscilaciones detectadas y la distancia al hipocentro se puede valorar la fuerza del sismo usando una escala llamada Richter. El efecto de un remesón se mide usando también la escala Mercalli, que clasifica la intensidad del terremoto según los daños provocados a personas y cosas.

Sismógrafo de movimiento horizontal

Las ondas telúricas se registran con sismógrafos formados por una masa metálica que permanece en reposo por inercia y un rollo que oscila siguiendo los movimientos del terreno.

Los efectos de un terremoto

Las oscilaciones del terreno son producidas por las ondas sísmicas que se propagan desde el hipocentro hacia la superficie terrestre. Tales movimientos se transmiten a todas las estructuras como casas, puentes y vías, provocando graves daños. Cuando un terremoto tiene su hipocentro bajo el nivel del mar, las vibraciones del lecho marino pueden generar olas anómalas que aumentan de altura cuando se propagan en aguas poco profundas. Las montañas de agua producidas por los maremotos se denominan "tsunamis" y crean efectos catastróficos a lo largo de las costas que alcanzan.

31

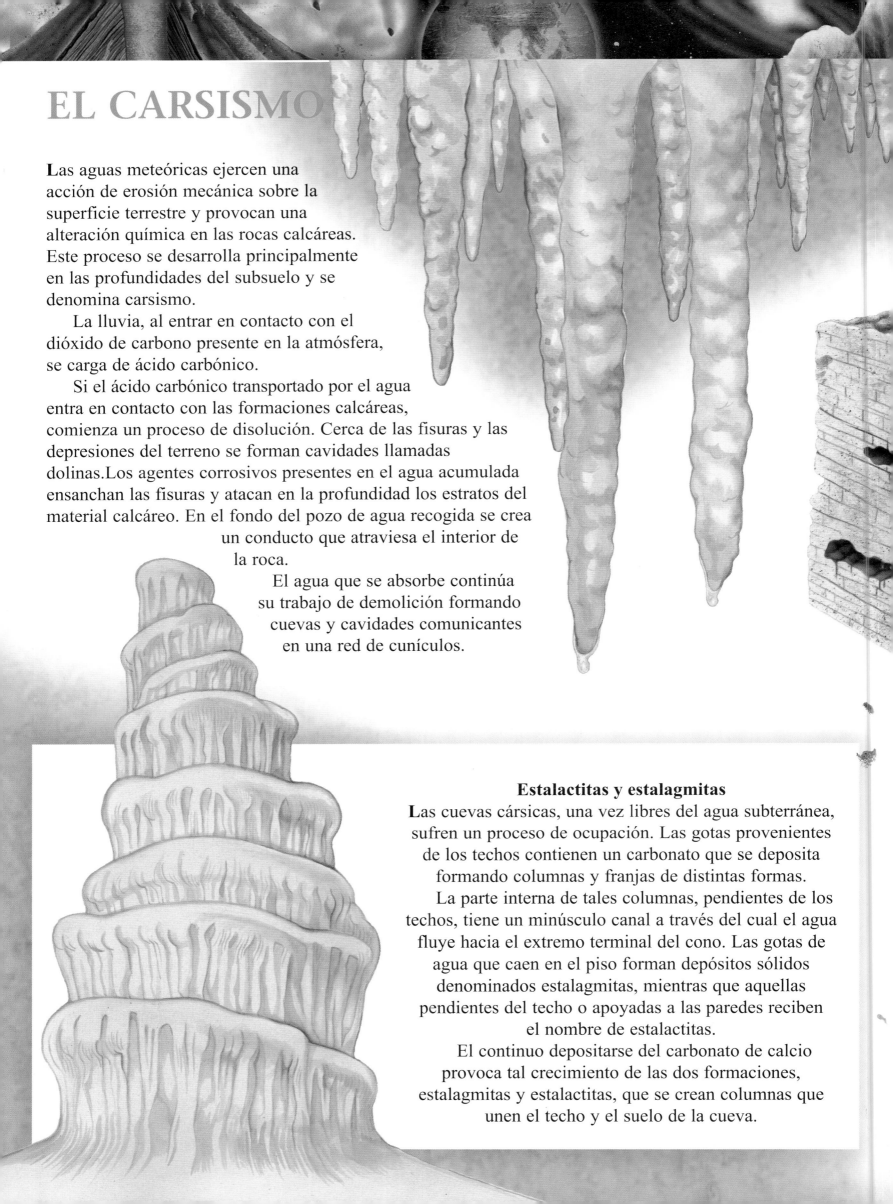

EL CARSISMO

Las aguas meteóricas ejercen una acción de erosión mecánica sobre la superficie terrestre y provocan una alteración química en las rocas calcáreas. Este proceso se desarrolla principalmente en las profundidades del subsuelo y se denomina carsismo.

La lluvia, al entrar en contacto con el dióxido de carbono presente en la atmósfera, se carga de ácido carbónico.

Si el ácido carbónico transportado por el agua entra en contacto con las formaciones calcáreas, comienza un proceso de disolución. Cerca de las fisuras y las depresiones del terreno se forman cavidades llamadas dolinas.Los agentes corrosivos presentes en el agua acumulada ensanchan las fisuras y atacan en la profundidad los estratos del material calcáreo. En el fondo del pozo de agua recogida se crea un conducto que atraviesa el interior de la roca.

El agua que se absorbe continúa su trabajo de demolición formando cuevas y cavidades comunicantes en una red de cunículos.

Estalactitas y estalagmitas

Las cuevas cársicas, una vez libres del agua subterránea, sufren un proceso de ocupación. Las gotas provenientes de los techos contienen un carbonato que se deposita formando columnas y franjas de distintas formas.

La parte interna de tales columnas, pendientes de los techos, tiene un minúsculo canal a través del cual el agua fluye hacia el extremo terminal del cono. Las gotas de agua que caen en el piso forman depósitos sólidos denominados estalagmitas, mientras que aquellas pendientes del techo o apoyadas a las paredes reciben el nombre de estalactitas.

El continuo depositarse del carbonato de calcio provoca tal crecimiento de las dos formaciones, estalagmitas y estalactitas, que se crean columnas que unen el techo y el suelo de la cueva.

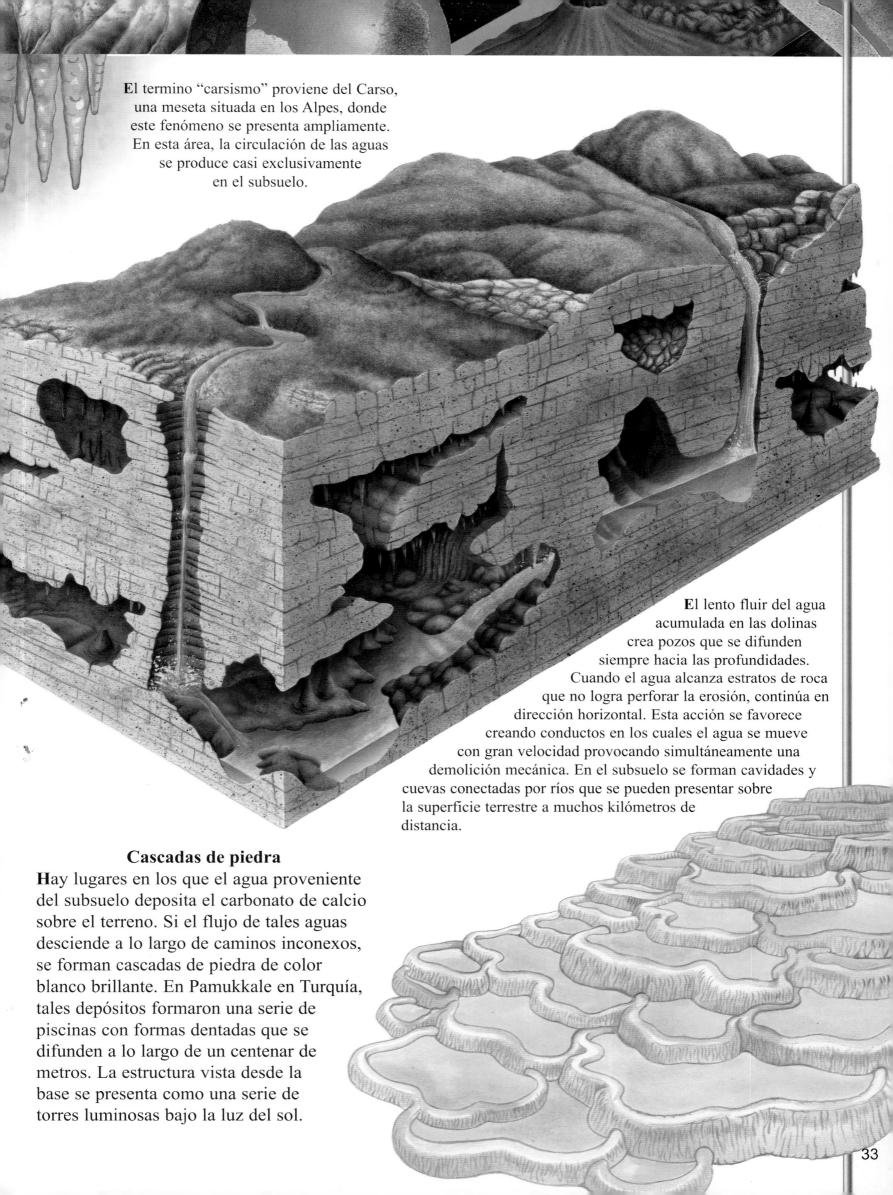

El termino "carsismo" proviene del Carso, una meseta situada en los Alpes, donde este fenómeno se presenta ampliamente. En esta área, la circulación de las aguas se produce casi exclusivamente en el subsuelo.

El lento fluir del agua acumulada en las dolinas crea pozos que se difunden siempre hacia las profundidades. Cuando el agua alcanza estratos de roca que no logra perforar la erosión, continúa en dirección horizontal. Esta acción se favorece creando conductos en los cuales el agua se mueve con gran velocidad provocando simultáneamente una demolición mecánica. En el subsuelo se forman cavidades y cuevas conectadas por ríos que se pueden presentar sobre la superficie terrestre a muchos kilómetros de distancia.

Cascadas de piedra

Hay lugares en los que el agua proveniente del subsuelo deposita el carbonato de calcio sobre el terreno. Si el flujo de tales aguas desciende a lo largo de caminos inconexos, se forman cascadas de piedra de color blanco brillante. En Pamukkale en Turquía, tales depósitos formaron una serie de piscinas con formas dentadas que se difunden a lo largo de un centenar de metros. La estructura vista desde la base se presenta como una serie de torres luminosas bajo la luz del sol.

33

EL FONDO MARINO

El perfil del fondo marino es tan accidentado como el de la tierra seca. Las grandes planicies abisales están atravesadas por grietas y depresiones que conducen a abismos de más de 10 kilómetros de profundidad. Al lado de estos abismos, se elevan montanas submarinas de origen volcánico llamadas "seamounts", algunas de las cuales surgen de la misma superficie marina. Allí donde los continentes terminan y empiezan las aguas, surge una amplia franja rocosa que va descendiendo lentamente hacia el fondo. Esta zona sumergida tiene un perfil casi horizontal y recibe el nombre de "Plataforma continental".

Inmediatamente después de la plataforma se encuentran unas laderas muy empinadas que terminan en cañones sumergidos a más de 2.000 metros de profundidad. Al pie de estas escarpadas laderas, se extienden las planicies abisales que alcanzan profundidades superiores a los 5.000 metros y están llenas de fosas y relieves montañosos.

Vida en el fondo marino

A lo largo de las dorsales oceánicas, la actividad volcánica produce un aumento de la temperatura del agua. En algunos puntos se forman verdaderas fuentes calientes, ricas en ácido sulfhídrico proveniente del subsuelo. Unas bacterias especiales, capaces de aprovechar la presencia de este ácido, forman colonias en las vecindades de estos puntos calientes. Esta concentración constituye el primer anillo de una cadena alimentaria que comprende numerosos moluscos y gusanos capaces de construir estructuras semejantes a tubos que alcanzan una altura de varios metros.

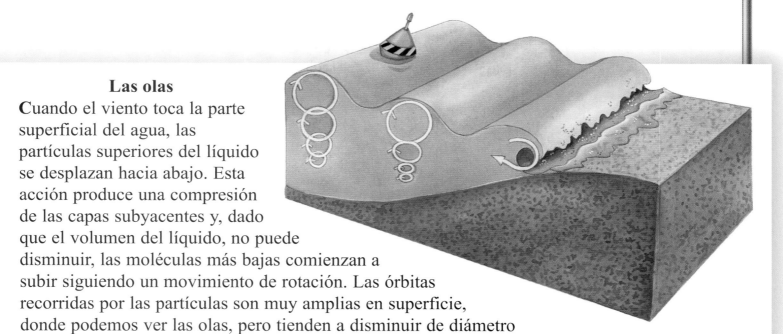

Las olas

Cuando el viento toca la parte superficial del agua, las partículas superiores del líquido se desplazan hacia abajo. Esta acción produce una compresión de las capas subyacentes y, dado que el volumen del líquido, no puede disminuir, las moléculas más bajas comienzan a subir siguiendo un movimiento de rotación. Las órbitas recorridas por las partículas son muy amplias en superficie, donde podemos ver las olas, pero tienden a disminuir de diámetro descendiendo hacia el fondo.

Con el paso de una ola, un objeto que flota en la superficie, describe un movimiento de arriba hacia abajo y viceversa, pero aparte de esta oscilación se mueve muy poco en el plano horizontal.

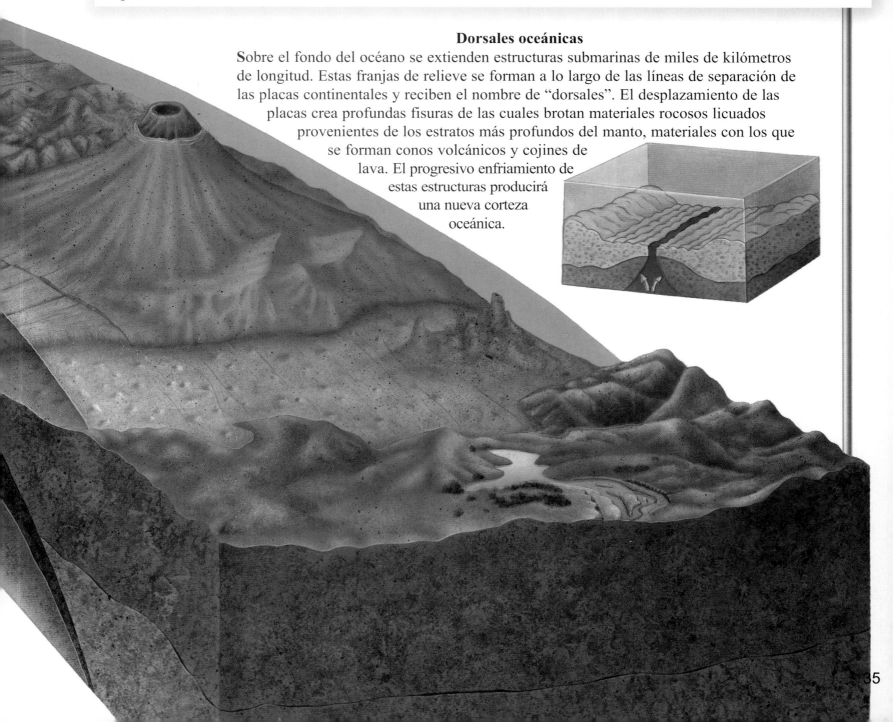

Dorsales oceánicas

Sobre el fondo del océano se extienden estructuras submarinas de miles de kilómetros de longitud. Estas franjas de relieve se forman a lo largo de las líneas de separación de las placas continentales y reciben el nombre de "dorsales". El desplazamiento de las placas crea profundas fisuras de las cuales brotan materiales rocosos licuados provenientes de los estratos más profundos del manto, materiales con los que se forman conos volcánicos y cojines de lava. El progresivo enfriamiento de estas estructuras producirá una nueva corteza oceánica.

EL CICLO DEL AGUA

Más de dos tercios de la superficie terrestre están recubiertos de agua concentrada en gigantescos depósitos: los océanos y los mares. Cuando las capas superficiales de estos depósitos se ven sometidas a la acción del Sol, se evaporan. El vapor acuoso, más liviano que el aire, se eleva hasta que entra en contacto con una masa de aire a temperatura inferior. En este punto el vapor se condensa en forma de gotas que vuelven a caer en los océanos de los cuales provienen. Si las nubes de vapor son empujadas por los vientos hacia la tierra firme, las precipitaciones acuosas caen en forma de lluvia, nieve o granizo.

   La masa de agua descargada por estos fenómenos atmosféricos tenderá a volver al mar siguiendo caminos diferentes, completando de esta manera el ciclo del agua.

Digas y depósitos

El agua evaporada que alcanza gran altura posee una gran cantidad de energía potencial. Si se recoge en un depósito montañoso y se hace precipitar con la ayuda de canales, su energía potencial se transforma en energía cinética. Cuando el agua llega al valle, se aprovecha su velocidad para hacer mover las hélices de turbinas que a su vez hacen girar unos alternadores capaces de producir corriente eléctrica.

Los estados del agua

El agua presente en la Tierra se puede encontrar en tres distintos estados físicos: líquido, sólido y aeriforme (gaseoso). El agua normalmente se encuentra en estado líquido porque conserva en esta condición un intervalo de temperatura muy amplio: se solidifica a 0 °C y hierve a 100 °C. Cuando se encuentra en el estado líquido, sus moléculas tienen gran libertad de movimiento a pesar de permanecer lo suficientemente cercanas como para ocupar siempre el mismo volumen. En el hielo las moléculas de agua se alejan, disponiéndose en una posición fija y organizada, mientras que en el estado de vapor acuoso las moléculas se alejan dispersándose y perdiendo la recíproca fuerza de atracción.

Las precipitaciones

El agua que cae en la tierra penetra en las capas superficiales y es absorbida por las plantas. Si las precipitaciones son muy abundantes o escasea la vegetación, se forman cursos de agua que alcanzan velozmente los ríos y los lagos y que pueden provocar inundaciones y derrumbes.

Aguas continentales

Nevados, ríos y lagos son depósitos naturales en los cuales se concentran las aguas continentales. Existe también una notable reserva de agua que no resulta visible, escondida en el subsuelo, pero que tiene una gran importancia para las actividades humanas. Salvo casos particulares, como el mar Muerto, las aguas continentales presentan una escasa concentración de sales disueltas y por esta razón reciben el nombre de "aguas dulces" que son las aguas indispensables para la vida de plantas y animales en tierra firme.

LOS RÍOS

Un río es un curso de agua corriente que no se extingue. Se alimenta de una o más fuentes que pueden provenir de la lluvia o la que resulta de la fusión de los nevados. El recorrido desde la fuente hasta la desembocadura del río puede ser más o menos largo y accidentado, dependiendo del territorio que atraviesa, y termina con la desembocadura en el mar, en otro río o en un lago del cual el río es un tributario. Con frecuencia, los cursos de agua de menor dimensión confluyen en el ramo principal y reciben el nombre de afluentes. La cantidad de agua transportada depende de las condiciones de pluviosidad de la zona por la cual pasa el río y de la grandeza de la cuenca que constituye su sistema fluvial.

Las aguas frías y bien oxigenadas de la parte montañosa del río son un ambiente ideal para la reproducción y la vida de muchos peces.

La forma de la desembocadura del río depende de la cantidad y de la dimensión de los detritos transportados por el agua. En general, las corrientes marinas dispersan el material depositado en el mar. Si las corrientes son débiles, con el tiempo se forma una desembocadura llamada delta. Si la fuerza del mar es lo suficientemente grande, a veces las olas son capaces de remontar la primera parte del río.

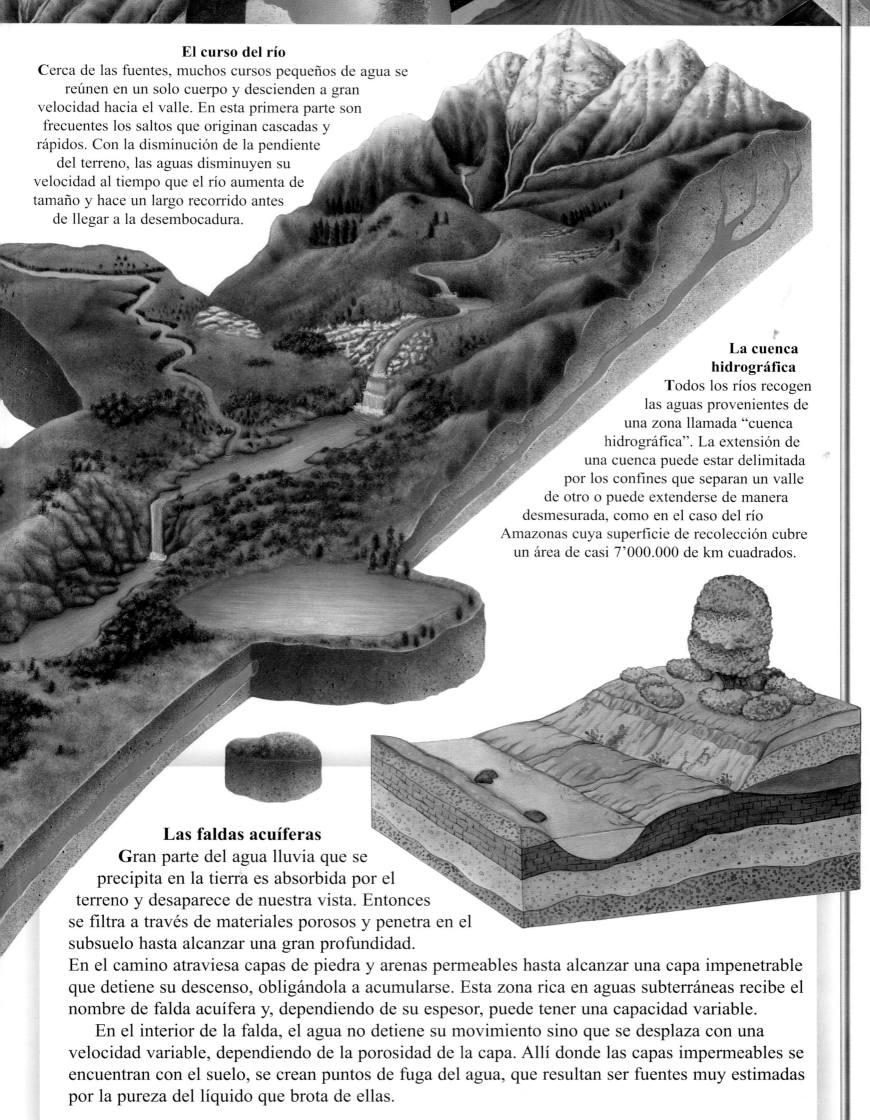

El curso del río

Cerca de las fuentes, muchos cursos pequeños de agua se reúnen en un solo cuerpo y descienden a gran velocidad hacia el valle. En esta primera parte son frecuentes los saltos que originan cascadas y rápidos. Con la disminución de la pendiente del terreno, las aguas disminuyen su velocidad al tiempo que el río aumenta de tamaño y hace un largo recorrido antes de llegar a la desembocadura.

La cuenca hidrográfica

Todos los ríos recogen las aguas provenientes de una zona llamada "cuenca hidrográfica". La extensión de una cuenca puede estar delimitada por los confines que separan un valle de otro o puede extenderse de manera desmesurada, como en el caso del río Amazonas cuya superficie de recolección cubre un área de casi 7'000.000 de km cuadrados.

Las faldas acuíferas

Gran parte del agua lluvia que se precipita en la tierra es absorbida por el terreno y desaparece de nuestra vista. Entonces se filtra a través de materiales porosos y penetra en el subsuelo hasta alcanzar una gran profundidad.

En el camino atraviesa capas de piedra y arenas permeables hasta alcanzar una capa impenetrable que detiene su descenso, obligándola a acumularse. Esta zona rica en aguas subterráneas recibe el nombre de falda acuífera y, dependiendo de su espesor, puede tener una capacidad variable.

En el interior de la falda, el agua no detiene su movimiento sino que se desplaza con una velocidad variable, dependiendo de la porosidad de la capa. Allí donde las capas impermeables se encuentran con el suelo, se crean puntos de fuga del agua, que resultan ser fuentes muy estimadas por la pureza del líquido que brota de ellas.

LOS GLACIARES

Cerca del 10% de la tierra firme está cubierta de glaciares que se concentran en dos áreas geográficas: Groenlandia y el continente antártico. Miles de otros glaciares de menores proporciones se encuentran dispersos por el mundo, habitualmente en los valles de numerosas cadenas montañosas. En estos lugares, la temperatura en verano es tan baja que no se alcanza a fundir toda la nieve que ha caído durante la estación fría.

La parte visible del iceberg corresponde a un 10% de la masa total del bloque de hielo.

Los icebergs

En los sitios en los que los extremos de un glaciar encuentran el mar, el frente de hielo se fragmenta formando lenguas de las cuales se desprenden los icebergs. En la zona antártica estas islas flotantes son de proporciones enormes y tienen la superficie plana. En Alaska, la mayoría de los icebergs tienen menores dimensiones y nacen de un frente helado gigantesco que tiene forma de precipicio y mira hacia el mar.

La parte alta de los glaciares montañosos está por encima del límite de las nieves permanentes. A estas alturas las precipitaciones son superiores a la cantidad de nieve que se funde por efecto del calor. Esta parte del glaciar es llamada cuenca recolectora y alimenta la parte subyacente, llamada cuenca ablatoria en la cual la fusión prevalece sobre la acumulación. Con frecuencia, de la cuenca ablatoria se desliza lentamente el hielo, formando una "lengua glacial" que se insinúa hacia el fondo del valle.

  La parte frontal de la lengua glacial se funde muy velozmente produciendo aguas de fusión que se acumulan en un lago pequeño alimentado por el torrente glacial.

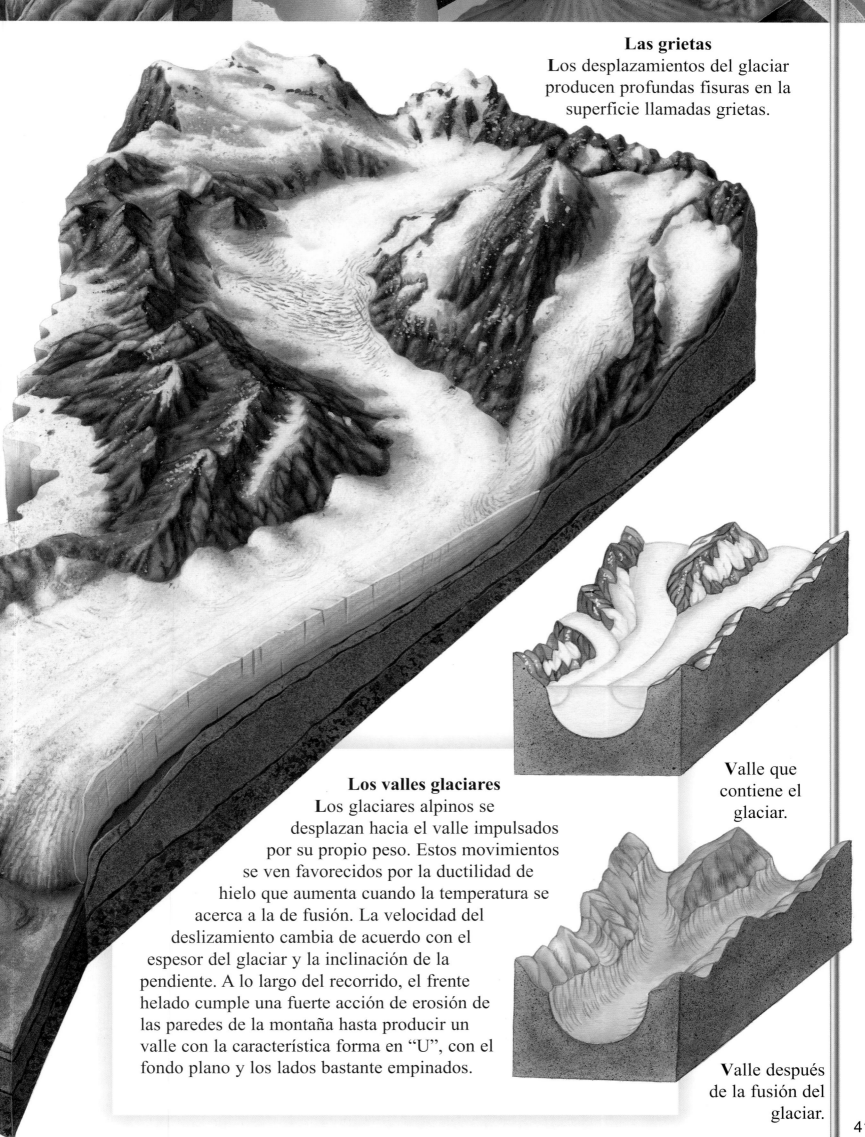

Las grietas

Los desplazamientos del glaciar producen profundas fisuras en la superficie llamadas grietas.

Los valles glaciares

Los glaciares alpinos se desplazan hacia el valle impulsados por su propio peso. Estos movimientos se ven favorecidos por la ductilidad de hielo que aumenta cuando la temperatura se acerca a la de fusión. La velocidad del deslizamiento cambia de acuerdo con el espesor del glaciar y la inclinación de la pendiente. A lo largo del recorrido, el frente helado cumple una fuerte acción de erosión de las paredes de la montaña hasta producir un valle con la característica forma en "U", con el fondo plano y los lados bastante empinados.

Valle que contiene el glaciar.

Valle después de la fusión del glaciar.

EL FENÓMENO DE LA EROSIÓN

El aspecto de la corteza terrestre está en lenta y continua evolución por efecto de los agentes atmosféricos que modelan su perfil. Incluso las rocas más duras, cuando se ven expuestas a la acción de vientos y lluvias, están destinadas a ser reducidas a fragmentos.

Los restos, de forma y grandeza variable, forman la capa superficial blanda del terreno; con el tiempo, las aguas corrientes transportan los fragmentos de roca hacia el mar donde van a acumularse en el fondo oceánico. Cuando el deterioro de las rocas superficiales es producido por agentes de naturaleza física, recibe el nombre de disgregación. Si la transformación deriva de procesos químicos, el proceso recibe el nombre de alteración.

En los dos casos se trata de una evolución extraordinariamente lenta que produce continuas transformaciones del paisaje incluso cuando este parece inalterado.

El fenómeno de la alteración es más evidente en las regiones de clima caliente y húmedo. En estas zonas las reacciones químicas entre los minerales contenidos en las rocas y el agua pueden producir enormes cavidades en el subsuelo.

Aguas corrientes
Las aguas que corren sobre la superficie producen una gran acción de transformación del paisaje. Sea que corran libres o que fluyan canalizadas, están en capacidad de erosionar las rocas y el suelo y transportar los productos de la degradación hacia el mar.

Allí donde las aguas se mueven velozmente se crean profundos surcos que en el curso de millones de años se transforman en valles, mientras los detritos transportados producen planicies de inundación.

Olas y mareas
Guijarros y arena transportados por las olas y por las corrientes marinas se depositan a lo largo de las costas formando amplias playas. Con frecuencia, estos materiales se acumulan en las desembocaduras de los ríos y son transportados hacia las aguas bajas después de un largo proceso de deterioro debido al incesante movimiento de las olas.

El mar
La fuerza abrasiva de las olas modela el perfil de las costas rocosas formando grutas y profundas ensenadas.

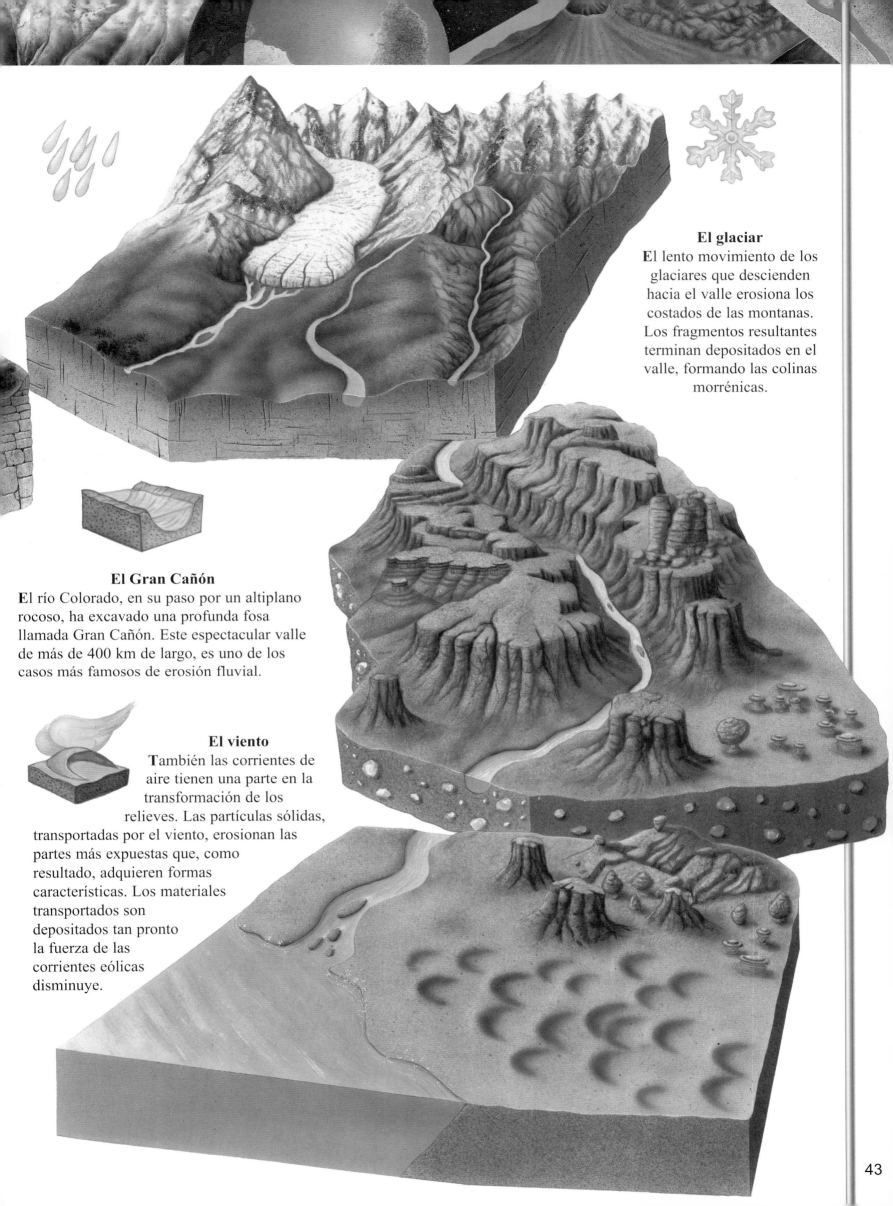

El glaciar

El lento movimiento de los glaciares que descienden hacia el valle erosiona los costados de las montanas. Los fragmentos resultantes terminan depositados en el valle, formando las colinas morrénicas.

El Gran Cañón

El río Colorado, en su paso por un altiplano rocoso, ha excavado una profunda fosa llamada Gran Cañón. Este espectacular valle de más de 400 km de largo, es uno de los casos más famosos de erosión fluvial.

El viento

También las corrientes de aire tienen una parte en la transformación de los relieves. Las partículas sólidas, transportadas por el viento, erosionan las partes más expuestas que, como resultado, adquieren formas características. Los materiales transportados son depositados tan pronto la fuerza de las corrientes eólicas disminuye.

COSTAS Y MAREAS

La costa es una franja de terreno bañada por las aguas marinas que sufre una continua transformación gracias a la acción de las mareas, las corrientes y los movimientos de las olas. Las costas se clasifican en costas altas, que se yerguen muchos metros por encima del nivel del mar, y costas bajas, que entran en el agua con escasa pendiente. Las costas altas son golpeadas por las olas que llegan a romperse en las rocas erosionándolas de distinta manera dependiendo de su dureza. Las costas bajas tienen playas en cuyo perfil se ve el continuo ir y venir de materiales transportados por las olas.

Las corrientes siguen recorridos paralelos a la línea de la costa y pueden producir fenómenos erosivos o depósitos de materiales.

Costas bajas

Las costas bajas se originan cuando la acción constructiva del mar prevalece sobre aquella destructiva. Allí donde la velocidad de las olas disminuye, los detritos transportados se depositan y dan origen a las playas.

Las mareas

Las mareas son movimientos periódicos de ascenso y descenso del nivel del mar. Son provocadas por la fuerza de atracción gravitacional ejercida por el Sol y la Luna. De hecho, nuestro satélite es el mayor responsable del fenómeno, debido a su cercanía a la Tierra. Durante la marea alta, las partículas de agua más cercanas a la Luna se levantan porque sienten con mayor fuerza la atracción ejercida por el satélite. De la parte diametralmente opuesta del globo se asiste a un fenómeno análogo de levantamiento del nivel del agua, mientras que en las zonas situadas a longitud de 90° respecto de estos puntos, el espesor de la franja de agua disminuye en correspondencia con la fase de baja marea.

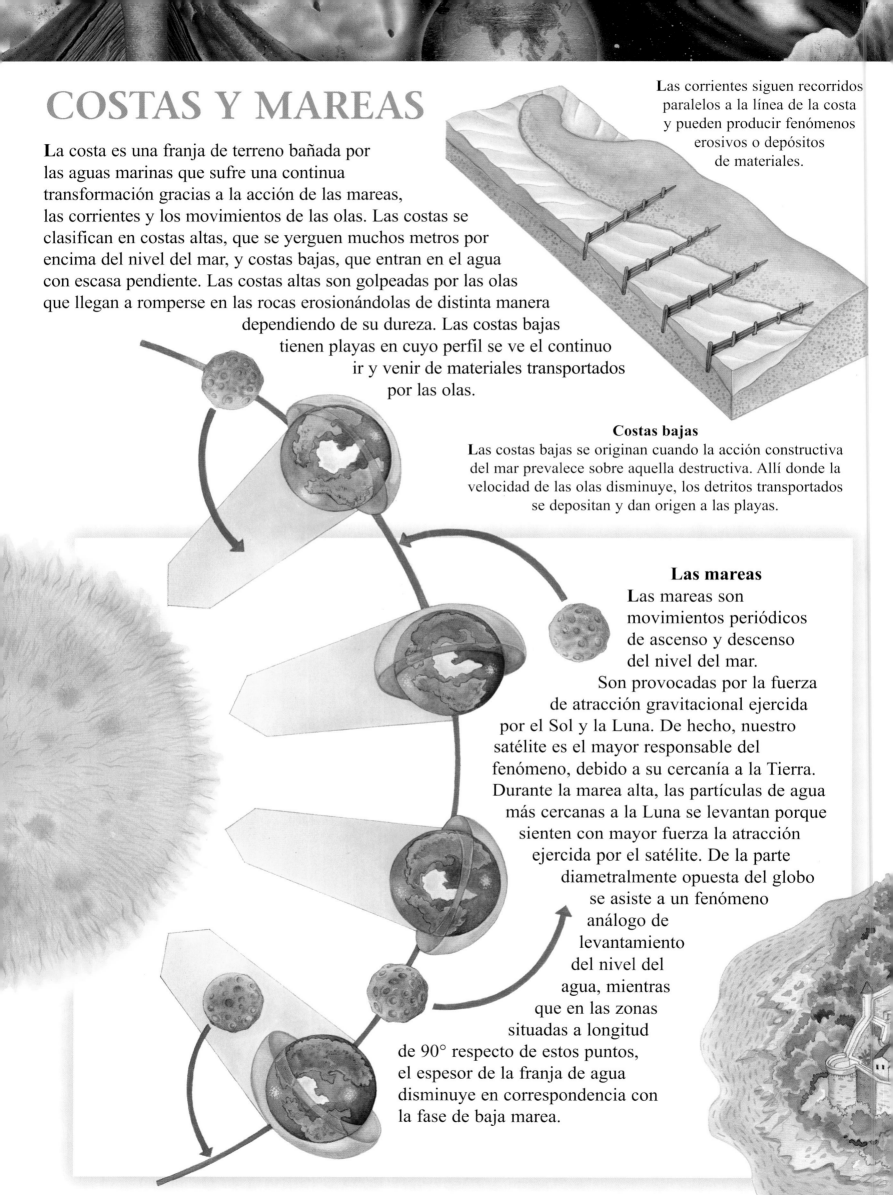

Los cursos de agua transportan hacia el mar grandes cantidades de sedimentos que forman amplias playas en cercanía de la desembocadura. Si los materiales son depositados a una cierta distancia de la ribera, con el tiempo se forma un cordón que recibe el nombre de lido.

Las costas formadas a partir de rocas friables se prestan a ser modeladas por la fuerza del mar. El martillar de las olas erosiona la escollera formando bahías y promontorios. Allí donde la línea de costa retrocede, gracias a los reflujos, surgen arcos de roca y farallones.

Mont Saint-Michel
Por cuenta de las mareas, esta localidad permanece aislada de la tierra firme dos veces al día.

Cuando las costas tienen paredes verticales sobre el mar y se extienden derechas y continuas se denominan falesias. En este tipo de costa la acción erosiva de las olas excava la base de las rocas hasta formar una cavidad que se agranda y que con el tiempo hace caer la pared superior. Los detritos caídos a los pies de la falesia frenan el movimiento de las olas y la erosión se detiene. Si las mareas desplazan los guijarros, el trabajo de las olas prosigue y la costa sigue retrocediendo.

El ciclo de las mareas
En el mismo día una localidad costera tiene dos flujos de marea alta, correspondientes a la máxima exposición a la influencia lunar y a la posición diametralmente opuesta, que se alternan a dos periodos de baja marea.
El ciclo completo dura 24 horas y 50 minutos, exactamente el tiempo empleado por la Luna para cumplir una traslación completa y tornar a la vertical de un lugar dado.

45

EL CICLO DE LAS ESTACIONES

El ciclo de las estaciones es consecuencia de dos movimientos de la Tierra: la traslación alrededor del Sol y la rotación sobre el propio eje que se encuentra inclinado respecto del plano de la órbita solar. Estos movimientos combinados producen como efecto tanto la diversa duración del día y la noche en los distintos periodos del año, como la variación en la inclinación de los rayos solares que golpean un punto dado de la Tierra en las diferentes estaciones.

Si el eje de la Tierra no estuviera inclinado con relación al plano de la órbita, tendríamos días con 12 horas de luz a las cuales seguirían 12 horas de oscuridad, independientemente del periodo del año. Por esta misma razón, la cantidad de energía solar recibida en los distintos puntos de la superficie terrestre permanecería siempre invariable y no permitiría el cambio de las estaciones.

El año bisiesto

Este monolito, en cuyo centro se destaca la imagen del Sol, representa un calendario azteca. Basándose en los aparentes movimientos solares, nuestros antepasados calcularon la duración del día, del año y el ciclo de las estaciones. Dado que la Tierra cumple una órbita de traslación alrededor del Sol en 365 días, 5 horas y 48 minutos, las casi 6 horas restantes crean a largo plazo problemas de desfase en los tiempos indicados por los calendarios y el comienzo real de las estaciones. Para solucionarlo en el año 45 a. C., Julio César introdujo la innovación del año bisiesto, que se mantiene en uso todavía. Con base en este sistema cada cuatro años se agrega el día número 29 al mes de febrero.

El verano es la estación más caliente, con una gran cantidad de luz que favorece la vida de plantas y animales.

Durante el otoño los días se acortan y la naturaleza comienza a prepararse para el rigor del invierno.

Equinoccio y solsticio

El 21 de marzo y el 23 de septiembre, fechas del equinoccio de primavera y de otoño respectivamente, la duración del día es igual a la de la noche en todos los puntos de la Tierra. El 21 de junio, fecha del solsticio de verano, en el hemisferio septentrional, el día tiene su máxima duración, mientras que en la parte meridional se tiene la noche más larga del año. El 22 de diciembre el hemisferio meridional es iluminado durante el máximo número de horas, mientras en el septentrional prevalece la oscuridad. Estas condiciones de luz opuesta determinan estaciones invertidas.

Con la llegada del invierno, las horas de luz disminuyen y la naturaleza adapta sus ritmos al frío intenso.

La primavera es la estación en la cual la naturaleza se despierta por efecto del aumento de la luz solar.

LLUVIA Y NIEVE

En la parte baja de la atmósfera se encuentra siempre una cierta cantidad de vapor de agua proveniente de la evaporación del agua marina. Cuando la masa de aire caliente cargada de humedad se desplaza hacia la tierra firme y se encuentra en un lugar con temperaturas más bajas, el vapor englobado se condensa y cae al suelo bajo la forma de lluvia.

El granizo

Si las gotitas de agua contenidas en las nubes son transportadas a más de 10.000 m de altura, se congelan. Empujadas por las corrientes de aire, comienza un movimiento de ascenso y descenso en el interior del cuerpo nuboso. Estas oscilaciones las llevan a fundirse y congelarse varias veces antes de precipitarse a tierra bajo la forma de granizo.

Lluvia y nieve

Cuando las gotitas de agua contenidas en las nubes alcanzan dimensiones tales que no pueden ser sostenidas por el aire, caen a tierra bajo la forma de gotas de lluvia. En las capas más altas de la atmósfera la baja temperatura transforma las gotas en minúsculas agujas heladas que se reúnen y forman los copos de nieve.

Las gotas de lluvia tienen dimensiones que varían entre 0,5 y 3 mm y se pueden ver a simple vista.

El clima

Cada región de la Tierra presenta condiciones meteorológicas típicas que se verifican habitualmente en la atmósfera del lugar y que se denominan "clima".

Para evaluar el clima de un territorio específico se tienen en cuenta las temperaturas medias y la cantidad de precipitaciones mensuales y anuales. En relación con estos elementos se pueden establecer cinco grupos climáticos principales. Si imaginamos dividir la superficie terrestre en franjas paralelas al ecuador, aun con sus particularidades, todos los lugares comprendidos en determinadas latitudes presentan climas muy semejantes.

La latitud

La latitud, es decir la distancia de un punto de la Tierra con el ecuador, es muy importante para determinar el clima. A los polos los rayos solares llegan oblicuos y se difunden sobre una superficie muy extensa, en las zonas alrededor del ecuador son perpendiculares y calientan el terreno de manera más intensa, elevando su temperatura.

Niebla y rocío

La niebla está formada por minúsculas gotas que permanecen suspendidas en el aire. En los meses invernales, cuando cae la noche, el suelo pierde rápidamente el calor acumulado en las horas de luz y se enfría. El aire que se encuentra en contacto con el terreno sufre un brusco descenso de la temperatura que hace condensar el vapor de agua que transporta, provocando la formación de la niebla.

En el curso de las horas nocturnas la temperatura desciende todavía más, y en las zonas herbosas se forma una capa de finas gotas, llamadas rocío.

HURACANES Y TORNADOS

Los ciclones tropicales son perturbaciones atmosféricas muy violentas que se forman sobre los mares calientes, lugares en los que el nivel de evaporación alcanza su máxima expresión. En las áreas de baja presión el calor favorece el rápido ascenso del aire húmedo hacia las capas altas de la atmósfera acentuando la depresión.

Se forman entonces amplias nubes cargadas de lluvia que descargan en el suelo su contenido con precipitaciones torrenciales. Puesto que en el proceso se pierde gran parte de la humedad, el aire vuelve a descender al centro del vórtice, calentándose durante el recorrido. Estas perturbaciones tienen una extensión reducida que alcanza diámetros inferiores a 1.000 km, pero son intensas y pueden durar algunas semanas. Los vientos que las acompañan alcanzan los 250 km por hora; cuando superan los 117 km por hora, la tempestad es clasificada como huracán.

Los satélites meteorológicos ofrecen una visión de los sistemas nubosos.

Ciclones extratropicales

Estas perturbaciones son menos violentas que las tropicales pero son mucho más extensas y frecuentes. La formación de ciclones extratropicales deriva del encuentro, a baja altura, de masas de aire frío de origen polar con otras de calor húmedo, provenientes de los trópicos. Estos ciclones se mueven de oeste a este empujados por los vientos a una velocidad de cerca de 1.000 km por día.

En el centro del ciclón se forma una zona de baja presión donde reina la calma absoluta. Esta zona, llamada el ojo del ciclón, tiene un diámetro de cerca 20 km; cuanto más pequeño es el ojo, mayor es la intensidad del huracán.

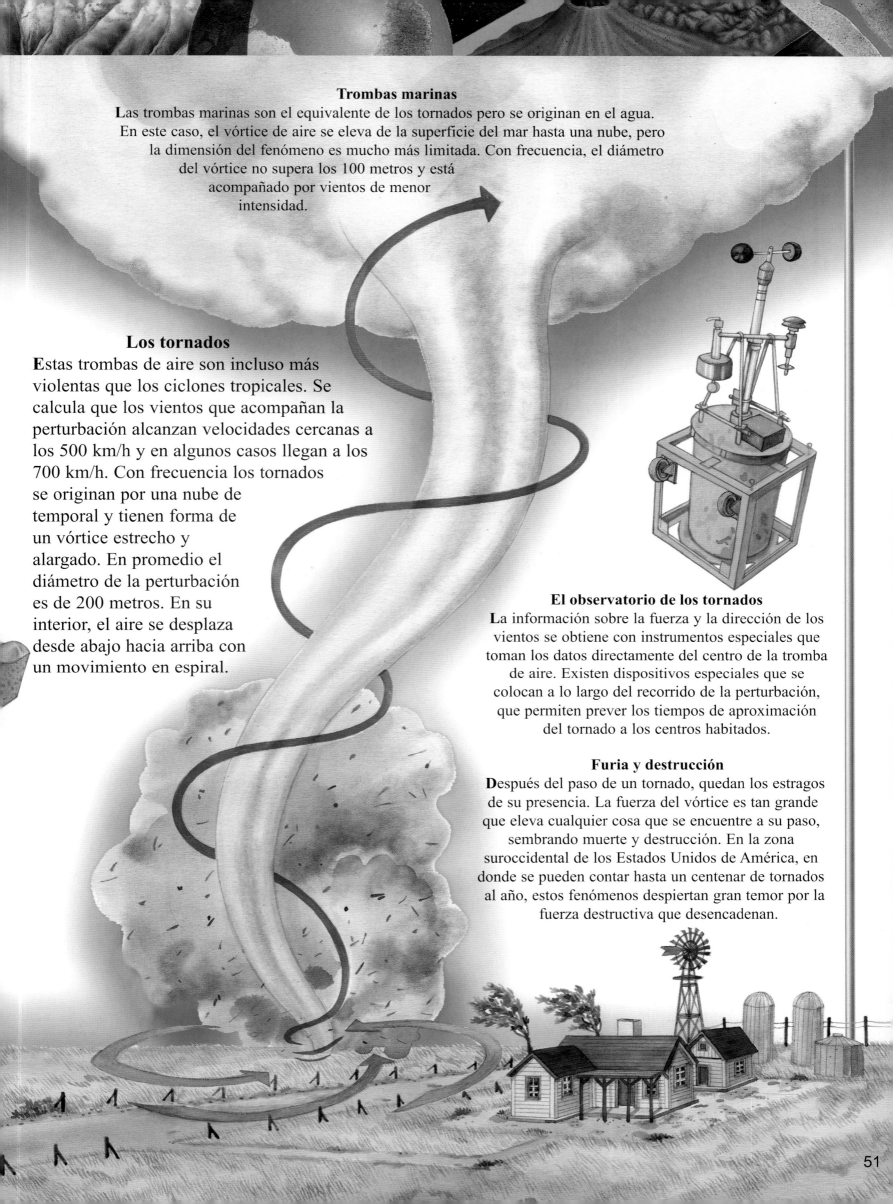

Trombas marinas

Las trombas marinas son el equivalente de los tornados pero se originan en el agua. En este caso, el vórtice de aire se eleva de la superficie del mar hasta una nube, pero la dimensión del fenómeno es mucho más limitada. Con frecuencia, el diámetro del vórtice no supera los 100 metros y está acompañado por vientos de menor intensidad.

Los tornados

Estas trombas de aire son incluso más violentas que los ciclones tropicales. Se calcula que los vientos que acompañan la perturbación alcanzan velocidades cercanas a los 500 km/h y en algunos casos llegan a los 700 km/h. Con frecuencia los tornados se originan por una nube de temporal y tienen forma de un vórtice estrecho y alargado. En promedio el diámetro de la perturbación es de 200 metros. En su interior, el aire se desplaza desde abajo hacia arriba con un movimiento en espiral.

El observatorio de los tornados

La información sobre la fuerza y la dirección de los vientos se obtiene con instrumentos especiales que toman los datos directamente del centro de la tromba de aire. Existen dispositivos especiales que se colocan a lo largo del recorrido de la perturbación, que permiten prever los tiempos de aproximación del tornado a los centros habitados.

Furia y destrucción

Después del paso de un tornado, quedan los estragos de su presencia. La fuerza del vórtice es tan grande que eleva cualquier cosa que se encuentre a su paso, sembrando muerte y destrucción. En la zona suroccidental de los Estados Unidos de América, en donde se pueden contar hasta un centenar de tornados al año, estos fenómenos despiertan gran temor por la fuerza destructiva que desencadenan.

LAS NUBES

Las nubes son resultado de la condensación de minúsculas gotitas de agua que permanecen fluctuantes en la atmósfera. Se forman cuando, al subir de altura, una masa de aire se enfría tanto que hace condensar el vapor de agua que contiene en minúsculas gotas o delgadísimas agujas de hielo. La formación de las gotitas se ve favorecida por la presencia de partículas de polvo suspendidas en el aire que constituyen los núcleos en torno a los cuales se adhiere la humedad. Las nubes se forman a alturas comprendidas entre algunos centenares de metros hasta el límite superior de la troposfera, y pueden tener aspectos muy distintos que dependen de las dimensiones, formas y color.

En condiciones particulares, la luz solar que golpea las gotitas de agua presentes en la atmósfera se puede reflejar y formar un arco colorido llamado arco iris.

Los colores del cielo

Durante el día, el componente azul de la luz solar se dispersa en la atmósfera, tiñéndola de azul. Al alba y al ocaso, la inclinación de los rayos favorece la dispersión de los componentes rojos y naranja, provocando una coloración distinta del cielo.

Las características de la atmósfera

Es una cubierta compuesta por gas, vapor de agua y polvo que rodea la Tierra. El estrato más bajo, o troposfera, tiene una altura media de 12 km y allí se presentan los principales fenómenos meteorológicos. Sigue la estratosfera, cuya temperatura es alta debido a la presencia del ozono, gas que captura buena parte de la energía solar. En la mesosfera aumenta la rarefacción de los gases, y en el estrato más alto, llamado termosfera, el aire contiene un gran número de iones. Más allá de los 500 km se encuentra el estrato más externo, la exosfera, donde orbitan los satélites artificiales.

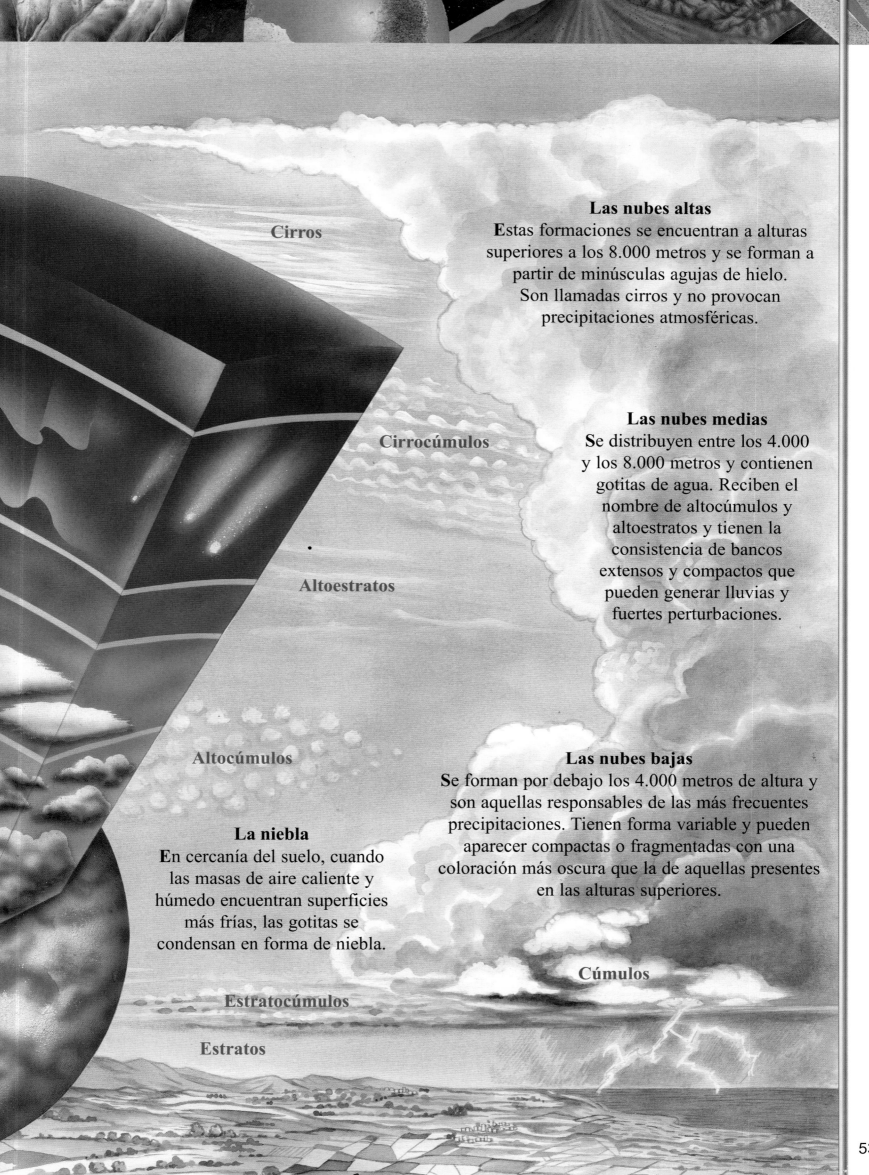

Cirros

Cirrocúmulos

Altoestratos

Altocúmulos

Estratocúmulos

Estratos

Cúmulos

Las nubes altas

Estas formaciones se encuentran a alturas superiores a los 8.000 metros y se forman a partir de minúsculas agujas de hielo. Son llamadas cirros y no provocan precipitaciones atmosféricas.

Las nubes medias

Se distribuyen entre los 4.000 y los 8.000 metros y contienen gotitas de agua. Reciben el nombre de altocúmulos y altoestratos y tienen la consistencia de bancos extensos y compactos que pueden generar lluvias y fuertes perturbaciones.

Las nubes bajas

Se forman por debajo los 4.000 metros de altura y son aquellas responsables de las más frecuentes precipitaciones. Tienen forma variable y pueden aparecer compactas o fragmentadas con una coloración más oscura que la de aquellas presentes en las alturas superiores.

La niebla

En cercanía del suelo, cuando las masas de aire caliente y húmedo encuentran superficies más frías, las gotitas se condensan en forma de niebla.

LOS VIENTOS

Los vientos nacen como resultado de los movimientos de las masas de aire que se desplazan desde las zonas de alta presión hacia las áreas depresionales. Estos desplazamientos se originan en un calentamiento alterno de la atmósfera y, en particular, en el discordante comportamiento térmico de la tierra firme en relación con las aguas. Precisamente, la diferencia en la velocidad de calentamiento de las rocas respecto de las masas de agua origina los saltos de presión barométrica que hacen soplar los vientos.

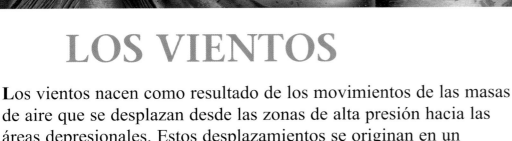

El monzón invernal
Durante los meses invernales, se forma sobre el Asia central una vasta área de alta presión debido al intenso enfriamiento. Allí se originan los vientos secos y fríos que golpean la península india.

El monzón de verano
El calor del verano crea un área de baja presión continental que atrae un viento frío y húmedo de origen oceánico. En cercanía de los relieves, el vapor es descargado originando intensísimas lluvias.

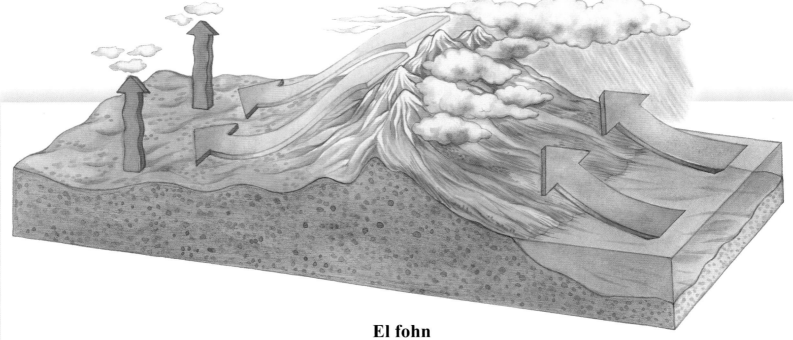

El fohn
Cuando las masas de aire provenientes del mar encuentran una cadena montañosa durante el ascenso, pierden humedad y se enfrían. Superada la cima, inician una fase de descenso hacia el valle calentándose nuevamente dando origen a vientos calientes y secos.

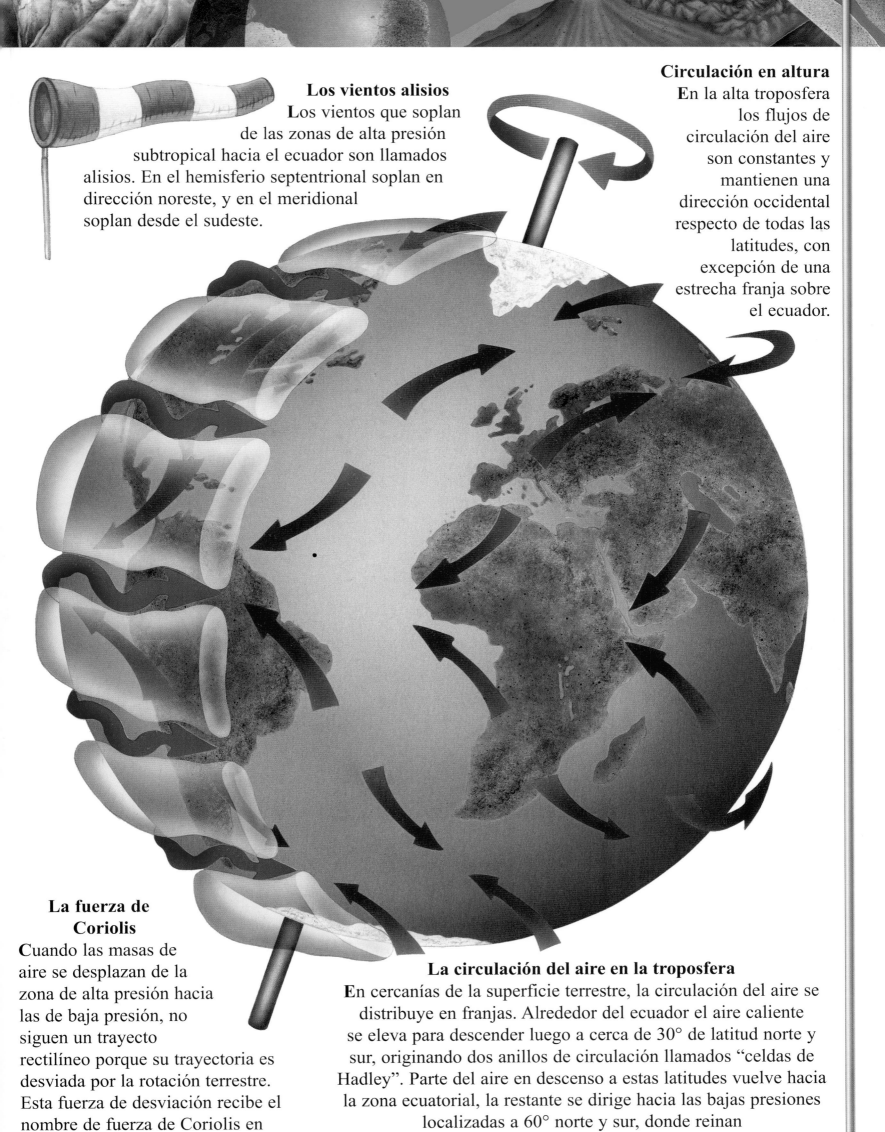

Los vientos alisios
Los vientos que soplan de las zonas de alta presión subtropical hacia el ecuador son llamados alisios. En el hemisferio septentrional soplan en dirección noreste, y en el meridional soplan desde el sudeste.

Circulación en altura
En la alta troposfera los flujos de circulación del aire son constantes y mantienen una dirección occidental respecto de todas las latitudes, con excepción de una estrecha franja sobre el ecuador.

La fuerza de Coriolis
Cuando las masas de aire se desplazan de la zona de alta presión hacia las de baja presión, no siguen un trayecto rectilíneo porque su trayectoria es desviada por la rotación terrestre. Esta fuerza de desviación recibe el nombre de fuerza de Coriolis en honor de su descubridor.

La circulación del aire en la troposfera
En cercanías de la superficie terrestre, la circulación del aire se distribuye en franjas. Alrededor del ecuador el aire caliente se eleva para descender luego a cerca de 30° de latitud norte y sur, originando dos anillos de circulación llamados "celdas de Hadley". Parte del aire en descenso a estas latitudes vuelve hacia la zona ecuatorial, la restante se dirige hacia las bajas presiones localizadas a 60° norte y sur, donde reinan las bajas presiones subpolares.

LOS AMBIENTES

Las distintas regiones del planeta presentan una gran variedad de ambientes naturales que están estrechamente vinculados a las diferentes condiciones climáticas. Latitud, altitud y distancia del mar son variables que influyen en la temperatura y la humedad de las zonas planetarias, determinando las condiciones favorables para el crecimiento de plantas y animales.

La Mancha es un ambiente difuso alrededor del mar Mediterráneo y a lo largo de las costas de Australia y California. La vegetación está compuesta por arbustos tupidos con pequeños árboles doblados por el viento.

Las regiones polares son heladas y están sometidas a la acción de los vientos que se atenúan solo durante el breve verano.

Las zonas tropicales están sometidas a frecuentes temporales que descargan en el área violentos aguaceros.

Las selvas pluviales se extienden a lo largo de la franja ecuatorial donde el clima caliente y las abundantes lluvias favorecen el crecimiento de la rica vegetación.

En la zona subtropical el calor veraniego antecede a inviernos suaves y secos.

Las sabanas son, tierras muy áridas con veranos calientes y secos, tanto que obligan a numerosos animales a emprender largas migraciones en busca de agua.

La vegetación de las sabanas está compuesta por hierbas y bajos enramados que logran colonizar estas áreas secas, poco aptas para el crecimiento de grandes árboles.

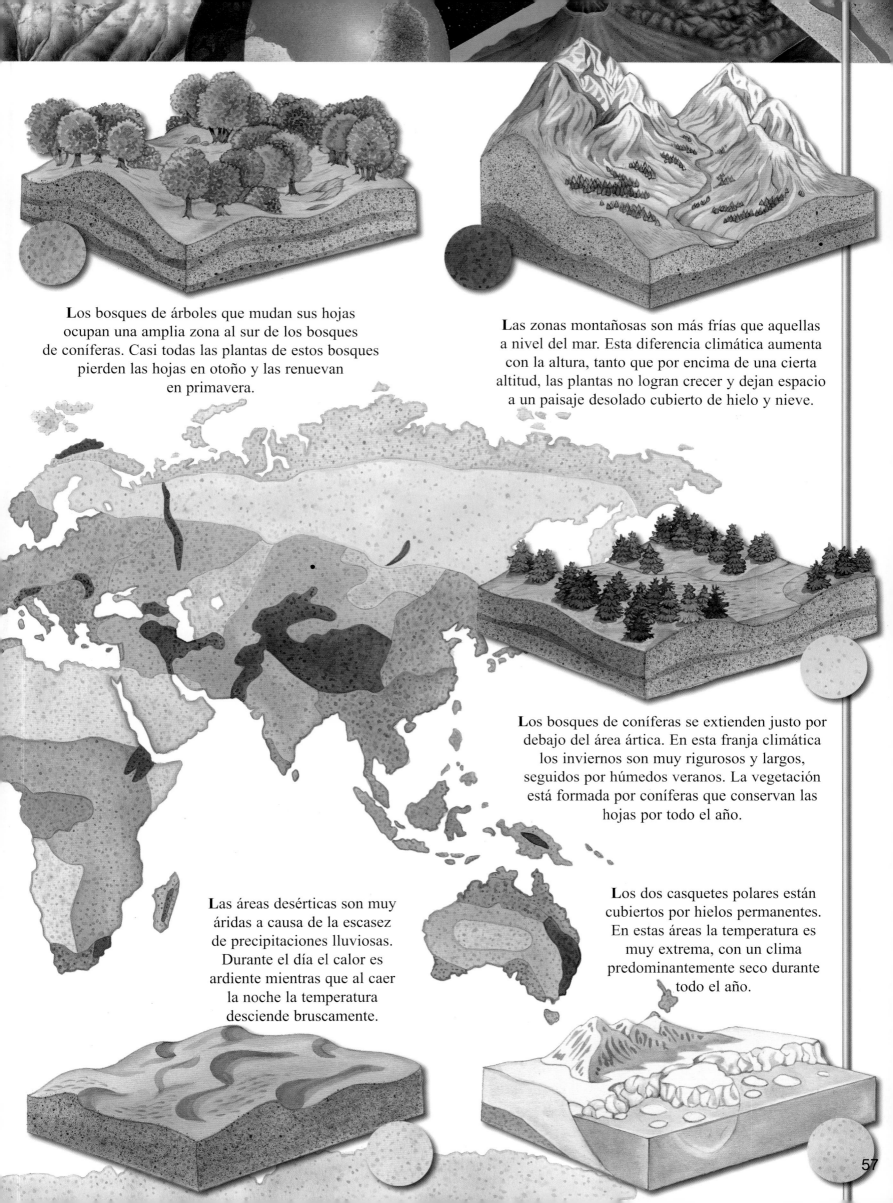

Los bosques de árboles que mudan sus hojas ocupan una amplia zona al sur de los bosques de coníferas. Casi todas las plantas de estos bosques pierden las hojas en otoño y las renuevan en primavera.

Las zonas montañosas son más frías que aquellas a nivel del mar. Esta diferencia climática aumenta con la altura, tanto que por encima de una cierta altitud, las plantas no logran crecer y dejan espacio a un paisaje desolado cubierto de hielo y nieve.

Los bosques de coníferas se extienden justo por debajo del área ártica. En esta franja climática los inviernos son muy rigurosos y largos, seguidos por húmedos veranos. La vegetación está formada por coníferas que conservan las hojas por todo el año.

Las áreas desérticas son muy áridas a causa de la escasez de precipitaciones lluviosas. Durante el día el calor es ardiente mientras que al caer la noche la temperatura desciende bruscamente.

Los dos casquetes polares están cubiertos por hielos permanentes. En estas áreas la temperatura es muy extrema, con un clima predominantemente seco durante todo el año.

57

RECURSOS ENERGÉTICOS

Buena parte de la energía que utilizamos proviene del petróleo, el carbón y el gas natural. La formación de estos combustibles requiere millones de años, y con el actual ritmo de consumo, es posible que las reservas se agoten rápidamente.

La formación de los combustibles fósiles

El carbón se obtiene de la fosilización de árboles y otras masas vegetales cuyos restos cubiertos de sedimentos se transforman, primero en turba y luego en lignito, en un proceso que dura millones de años. El petróleo y el gas metano tienen su origen en los restos de animales y vegetales depositados en el fondo marino y posteriormente incorporados a las rocas sedimentarias.

Recursos renovables

Mientras los depósitos de combustibles fósiles se agotan con el uso, existen fuentes energéticas naturales que son renovables y prácticamente inextinguibles. En la actualidad, el mayor aporte de energía proviene de la energía hidráulica recogida en las centrales hidroeléctricas. Otras fuentes alternativas se concentran en el empleo de la luz solar, de la energía geotérmica, de los flujos de marea y de la fuerza del viento, mientras se experimentan nuevos carburantes derivados de la fermentación de vegetales para utilizar en sustitución de los hidrocarburos de origen fósil.

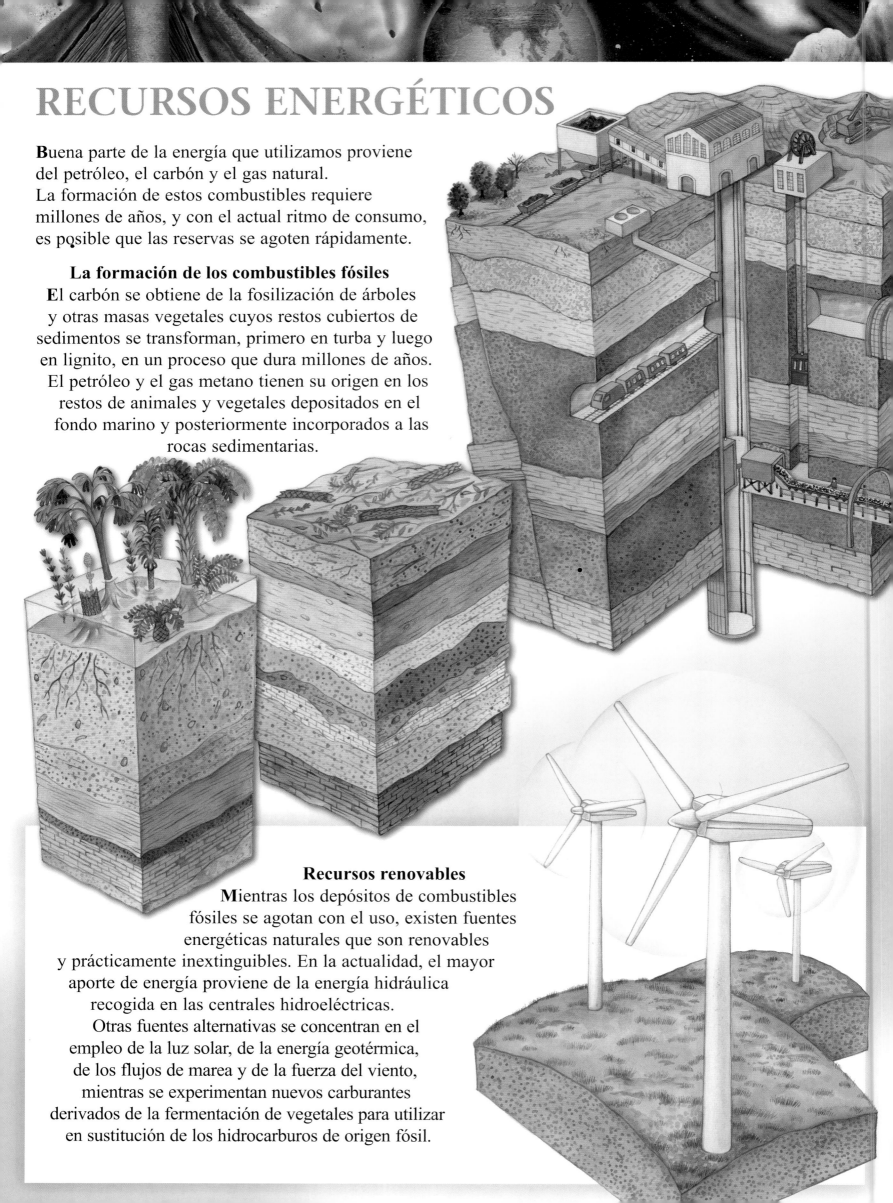

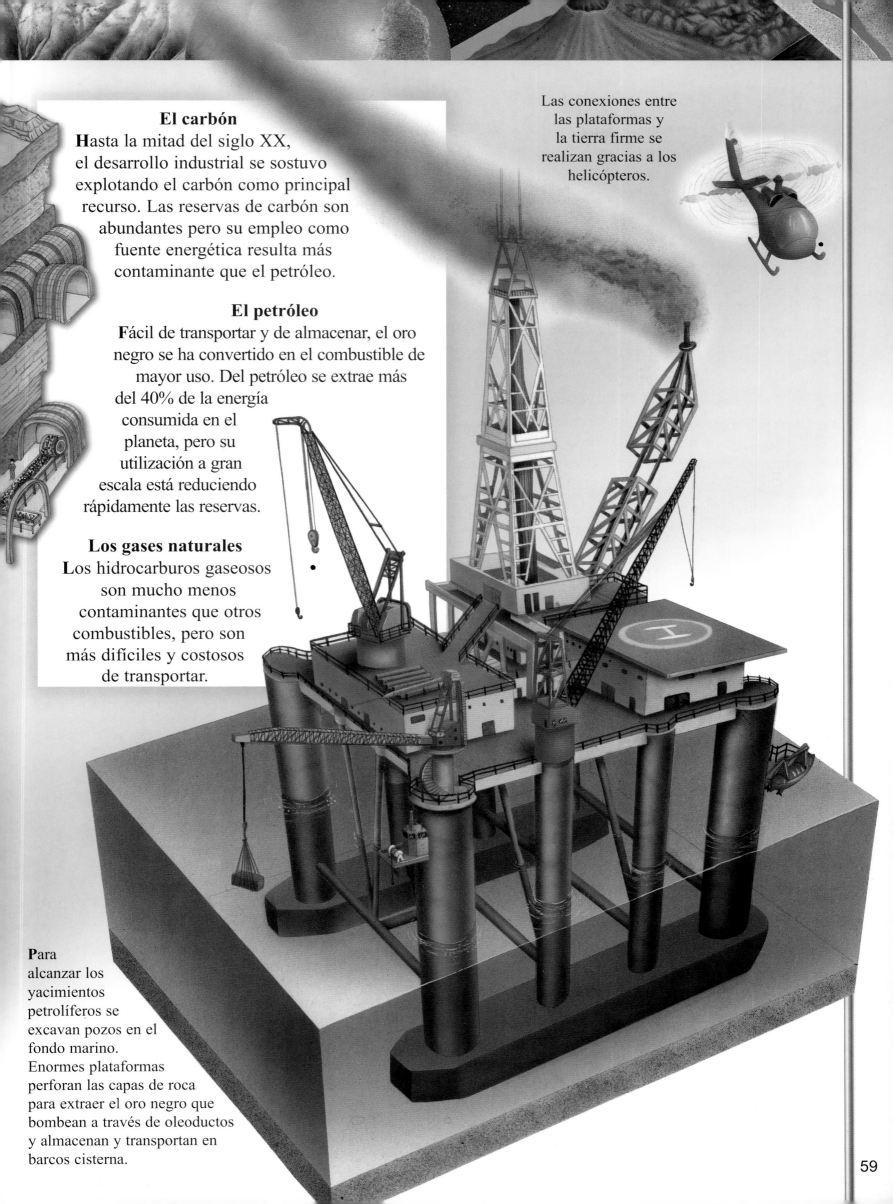

El carbón
Hasta la mitad del siglo XX, el desarrollo industrial se sostuvo explotando el carbón como principal recurso. Las reservas de carbón son abundantes pero su empleo como fuente energética resulta más contaminante que el petróleo.

El petróleo
Fácil de transportar y de almacenar, el oro negro se ha convertido en el combustible de mayor uso. Del petróleo se extrae más del 40% de la energía consumida en el planeta, pero su utilización a gran escala está reduciendo rápidamente las reservas.

Los gases naturales
Los hidrocarburos gaseosos son mucho menos contaminantes que otros combustibles, pero son más difíciles y costosos de transportar.

Las conexiones entre las plataformas y la tierra firme se realizan gracias a los helicópteros.

Para alcanzar los yacimientos petrolíferos se excavan pozos en el fondo marino. Enormes plataformas perforan las capas de roca para extraer el oro negro que bombean a través de oleoductos y almacenan y transportan en barcos cisterna.

59

LA CONTAMINACIÓN

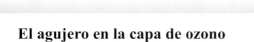

Ya desde tiempos antiguos las actividades humanas provocaban cambios ambientales, pero solo en el último siglo, estos cambios han sido de gran impacto.

Nuevas industrias, métodos de cultivo intensivos, los hábitos y estilos de vida modernos, producen grandes cantidades de sustancias contaminantes que se introducen en el ambiente provocando daños a los ecosistemas, algunos de los cuales ya se han perdido para siempre.

Interrumpir este proceso exige un compromiso responsable de parte de todos, junto a una mayor conciencia de los peligros a los cuales estamos sometiendo a nuestro planeta.

Las lluvias ácidas

Los vientos transportan a lugares remotos del planeta sustancias ácidas. Estos agentes son el resultado de las reacciones químicas entre el agua atmosférica y los óxidos de nitrógeno y azufre descargados en los ríos. Cuando caen bajo forma de lluvia o de nieve sobre bosques y selvas, producen graves enfermedades a los árboles. Los abetos, son particularmente vulnerables a estas precipitaciones que desencadenan en ellos el envejecimiento precoz y la muerte.

Daño producido por la lluvia ácida

El agujero en la capa de ozono

A nivel del suelo, el ozono es un gas muy dañino para la salud. Sin embargo, su presencia en la parte alta de la atmósfera nos protege de las radiaciones solares ultravioletas. El uso de productos químicos llamados "clorofluorocarburos" ha llevado a una drástica reducción en el espesor del estrato de este gas creando agujeros a través de los cuales penetran con facilidad los peligrosos rayos ultravioletas responsables de graves enfermedades de la piel.

El efecto invernadero

El anhídrido carbónico presente en la atmósfera es completamente permeable al paso de los rayos solares, pero actúa como los vidrios de un invernadero, al reflejar hacia abajo las radiaciones térmicas provenientes del suelo. Este fenómeno contribuye a la estabilización de la temperatura terrestre pero la excesiva concentración de este gas, debida a la contaminación del aire, está provocando un aumento constante de la temperatura que produce graves cambios climáticos.

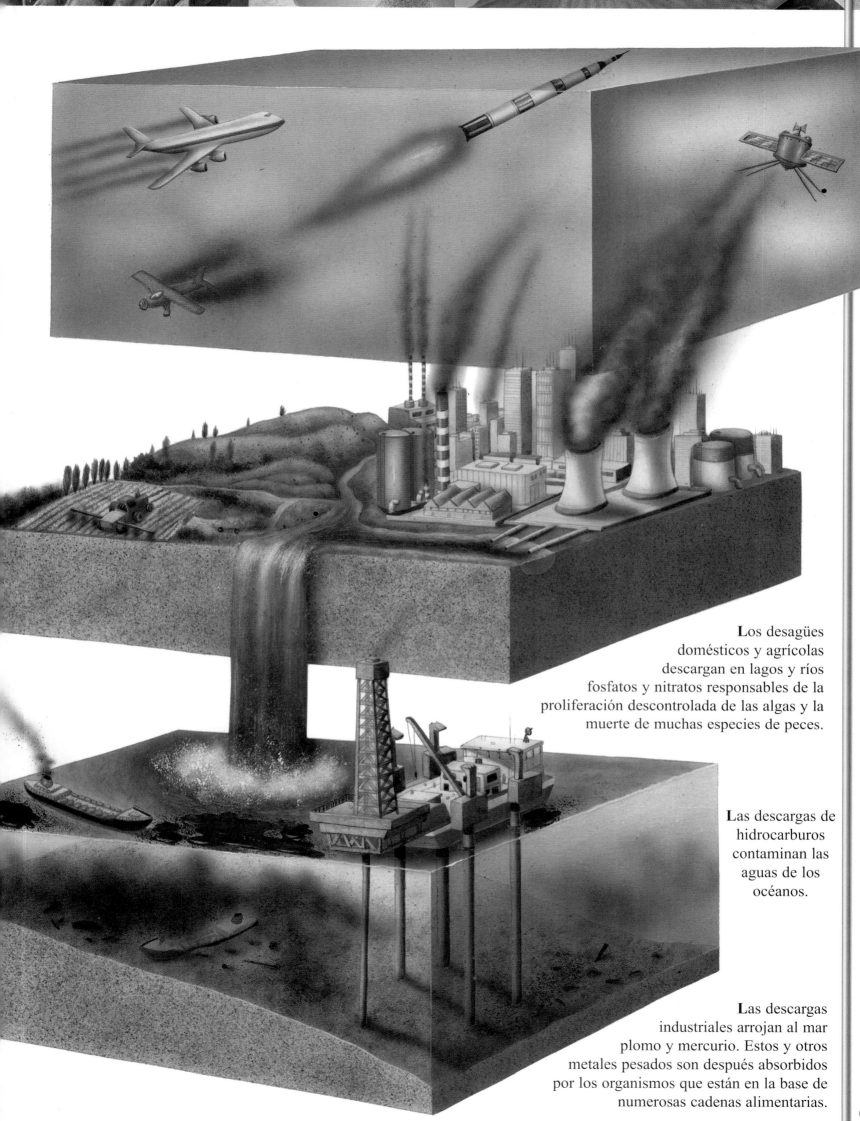

Los desagües
domésticos y agrícolas
descargan en lagos y ríos
fosfatos y nitratos responsables de la
proliferación descontrolada de las algas y la
muerte de muchas especies de peces.

Las descargas de
hidrocarburos
contaminan las
aguas de los
océanos.

Las descargas
industriales arrojan al mar
plomo y mercurio. Estos y otros
metales pesados son después absorbidos
por los organismos que están en la base de
numerosas cadenas alimentarias.

ÍNDICE

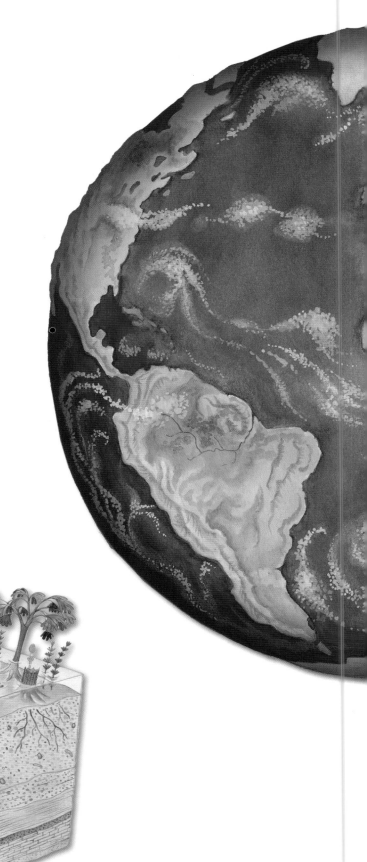

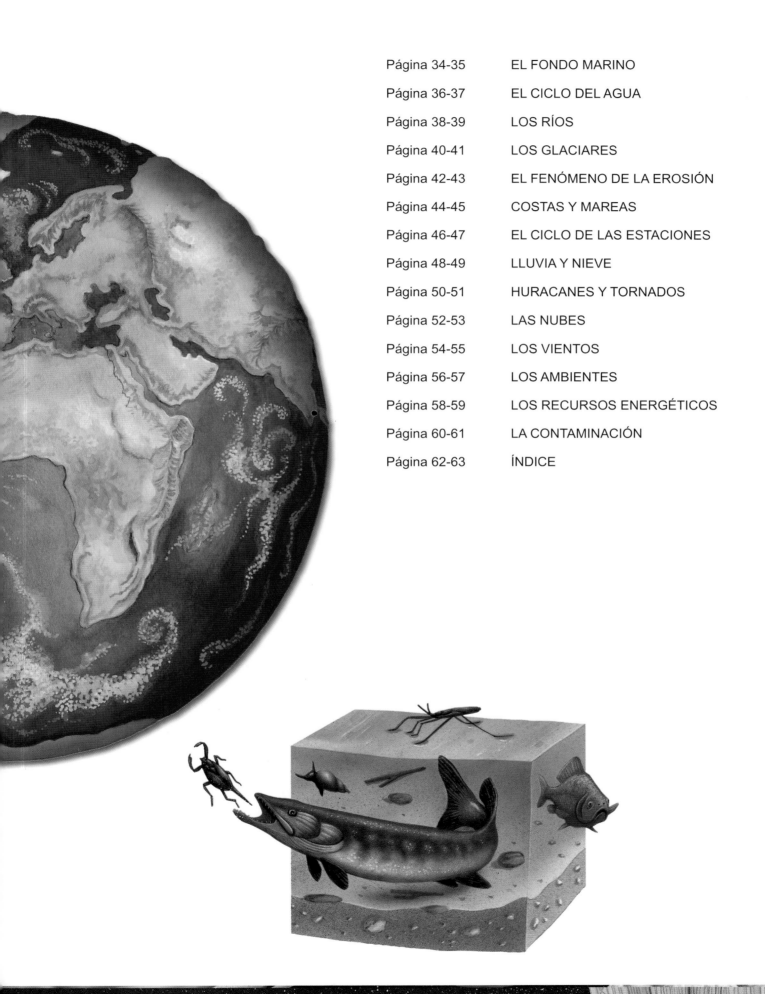